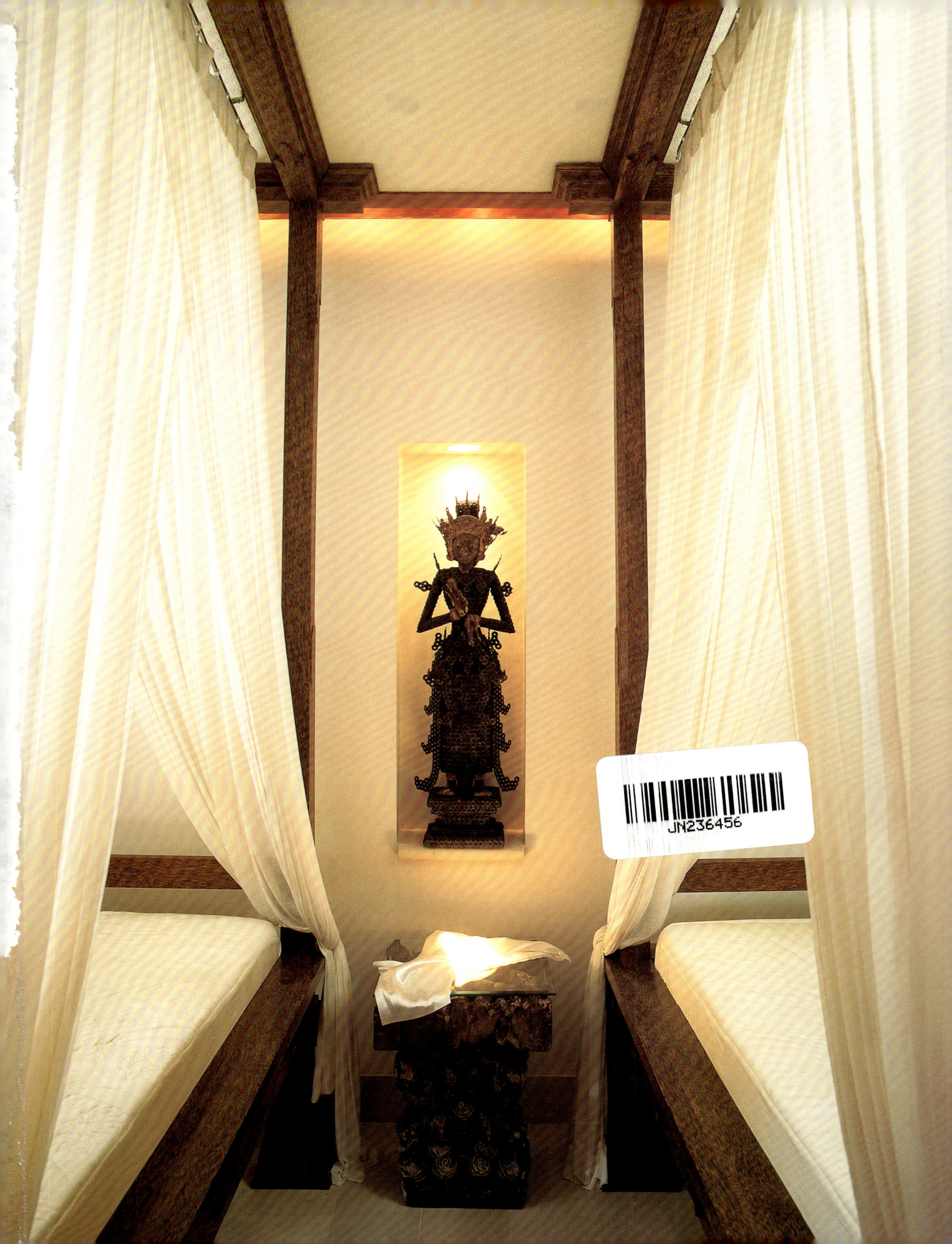

BALI Houses

New Wave Asian Architecture and Design

バリ・ハウス

写真　ルカ・インヴェルニッツィ・テットーニ
文　ジャンニ・フランチョーネ
訳　尾原美保

PERIPLUS

Published by Periplus Editions
with editorial offices at
130 Joo Seng Road #06-01
Singapore 368357

Copyright © 2002 Periplus Editions (HK) Ltd

Japanese edition copyright
©2004 Periplus Editions (HK) Ltd
Photos © 2002 Luca Invernizzi Tettoni

ISBN 4-8053-0722-6

Printed in Singapore

All rights reserved. No part of this publication may be reproduced, stored in a retrieval system or transmitted in any form or by any means, electronic, magnetic tape, mechanical, photocopying, recording or otherwise without prior permission of the publisher.

Distributors:

Japan
Tuttle Publishing
Yaekari Building, 3F, 5-4-12, Osaki,
Shinagawa-Ku, Tokyo 141-0032, Japan
Tel (813) 5437 0171; fax (813) 5437 0755
Email: tuttle-sales@gol.com

Asia Pacific
Berkeley Books Pte Ltd
130 Joo Seng Road, #06-01
Singapore 368357
Tel (65) 6280 1330; fax (65) 6280 6290
Email: inquiries@periplus.com.sg

1ページ：エディス・ジェスティス邸ゲストハウスのベッドルームに飾られたヴィシュヌ神の像
2ページ：GMアーキテクツ設計のヴィラ外観
3ページ：ジョヴァンニ・ダンブロシオがデザインした木と金属の階段
4-5ページ：日本人美術愛好家宅ゲストハウスのリビングルーム
6ページ：GMアーキテクツ設計のトロピカルハウスから庭を臨む。

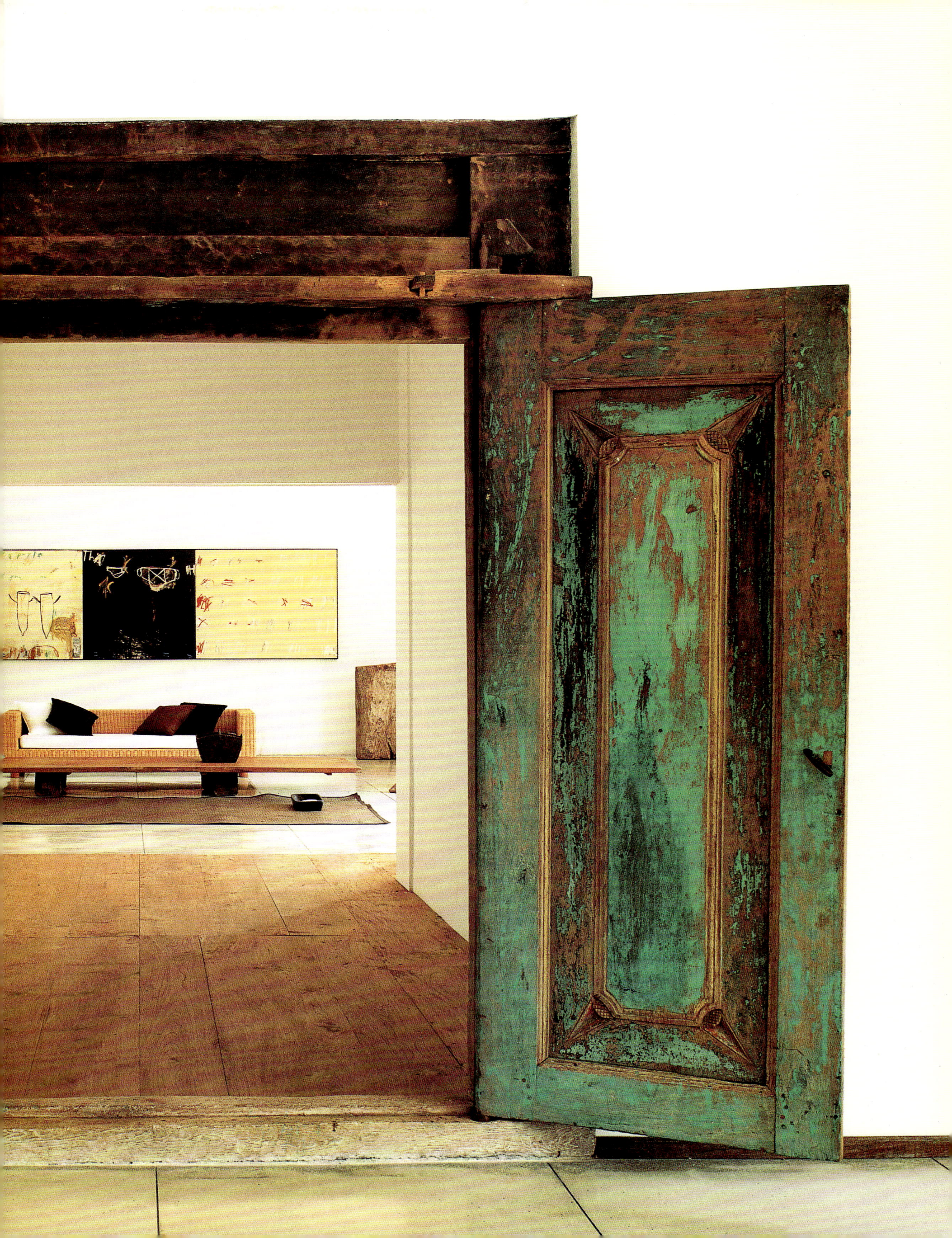

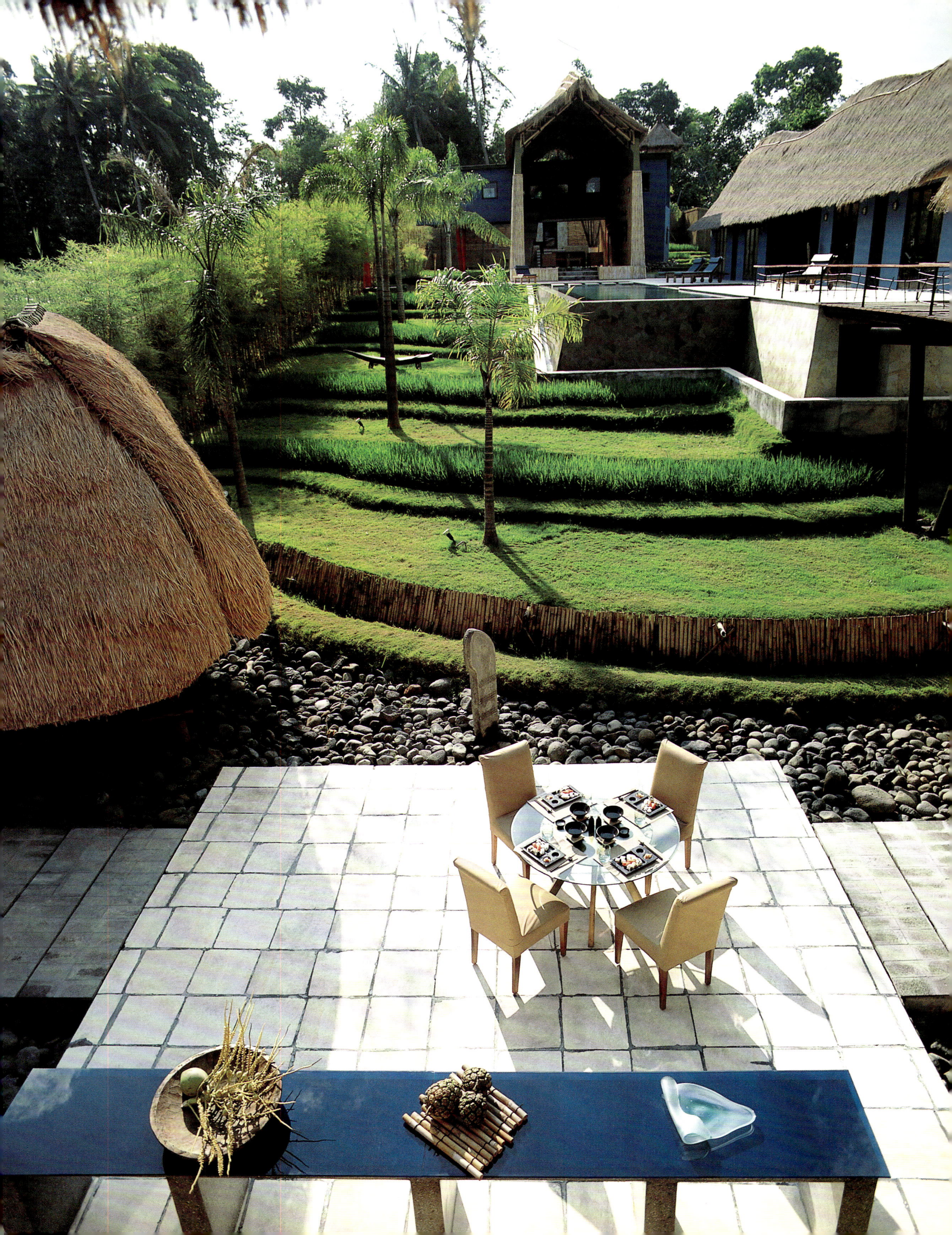

contents

ニュー・トロピカル・インターナショナリズム	8
コロニアル・モダン	24
あるテーマのバリエーション	32
トロピカルムードを満喫	46
石を生かす	52
バリの中のスペイン	60
森閑たる楽園	70
時空を超えて	80
太古の記憶	92
遊び心があふれる住まい	100
バタク族の遺産	110
ナチュラルの粋	116
個性豊かなアプローチ	124
トロピカル・マウンテンの隠れ家	128
環境との融合	134
自然と暮らす	140
鏡の不思議空間	146
カルチャーの発信基地	150
見せるための空間	156
デザインで見るバリ	**160**
自由な創作	162
形とテクスチュア	164
円と曲線	166
トロピカル・モダン	168
ガラスの美しさ	170
メタリック	174
花のモチーフ	176
細部へのこだわり	178
トレンディー・トロピカル	182
柔らかな光	184
光るアイデア	186
エスニック・モダン	190
Acknowledgements	192

上：カローラ・ブージズ作、堅木の彫刻「スパイク」
右ページ：ユースト・フォン・グリーケン設計の家。
ダイニングと寝室を結ぶ廊下。

the new tropical internationalism

ニュー・トロピカル・インターナショナリズム

　21世紀になって、外国人アーティストたちが自らの家にバリの様式を取り入れるようになった。サヤンからサヌール、キンタマーニからクタにかけては新しいコスモポリタニズムが栄えており、西洋からも東洋からも影響を受けている。旅行者がただユートピアを求めていたのは昔の話で、今では彼ら自身が工房を作ったり、輸出入業を営んだり、ワークショップを開いたりしながら、「夢の家」を作り上げている。バリ文化の独自性を生かしながら、外部からも技術やアイデアを持ち込み、今や人気を広げつつある「バリ・スタイル」というコンセプトを作り上げてきたのだ。

　この現象が顕著に見られるのが、建築とインテリアの分野である。1930年代にこの地にやってきた先住者たちと同様、新しくこの島にやって来た人たちもトロピカルな生活、島の魅力、芸術性を満喫していたが、その独創性は違う方向に広がっていった。つまり「バリ・スタイル」は未だ発展途上にあり、バリの地を（物理的にも比喩的にも）離れ、「ニュー・トロピカル・インターナショナリズム」というものに変わろうとしているのだ。

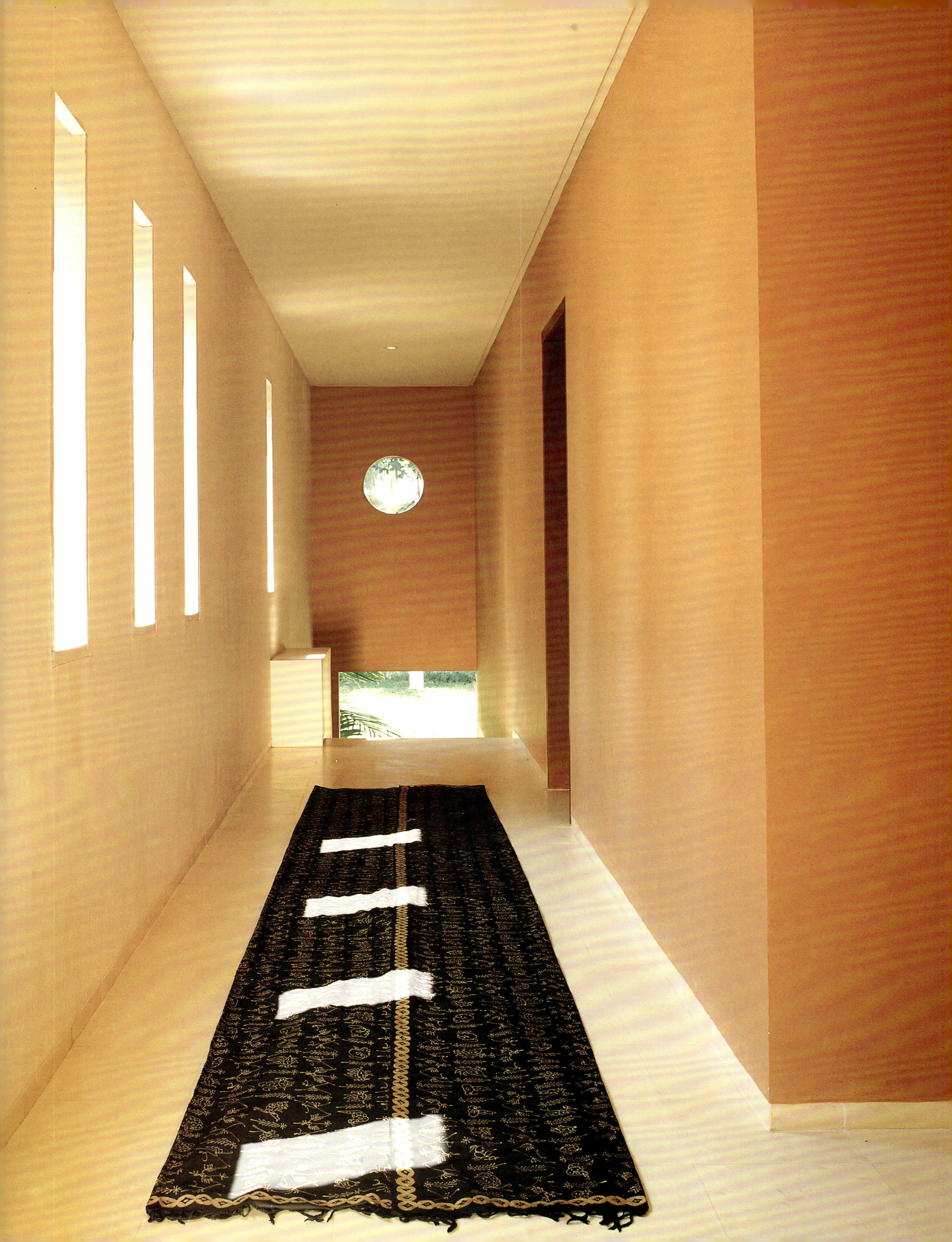

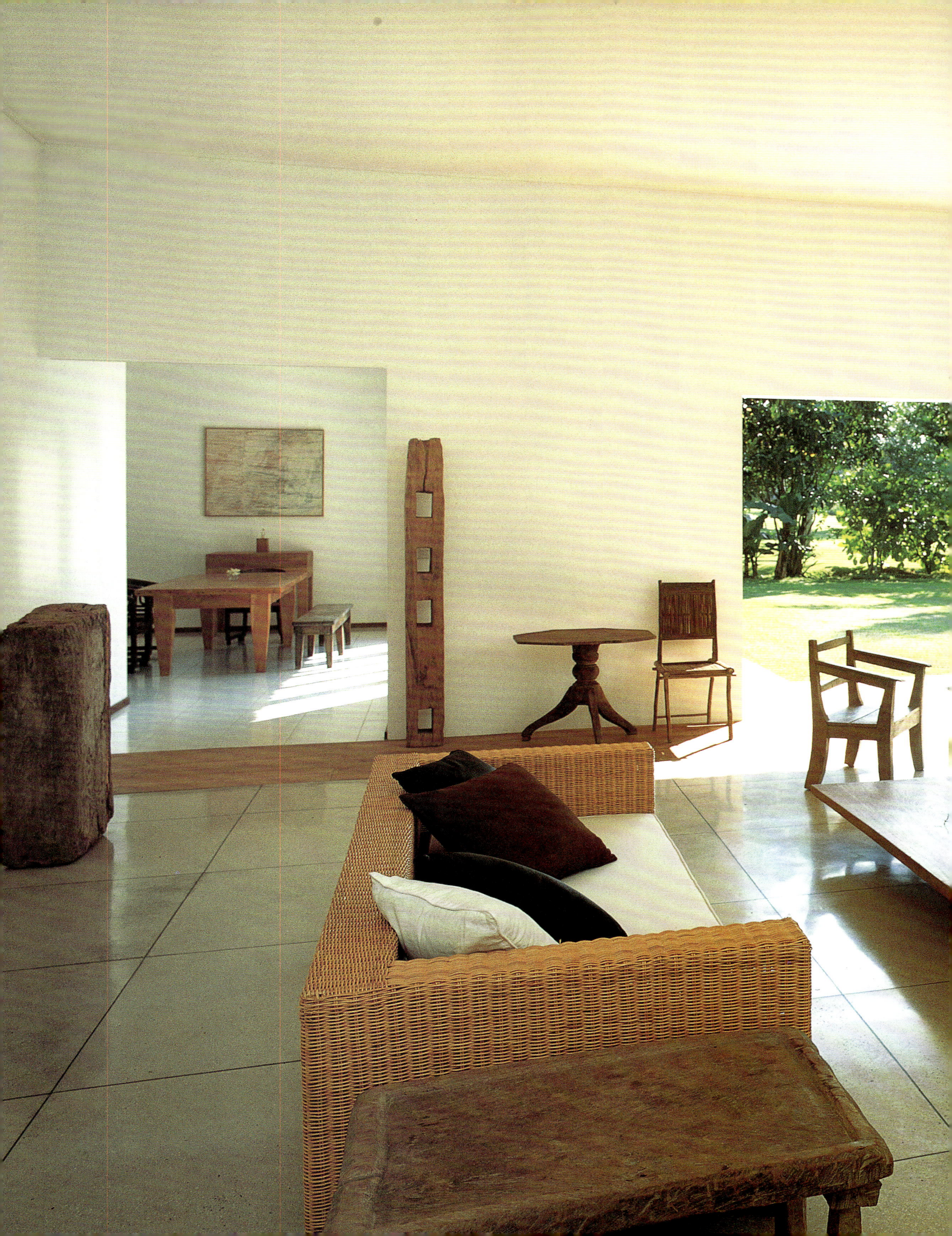

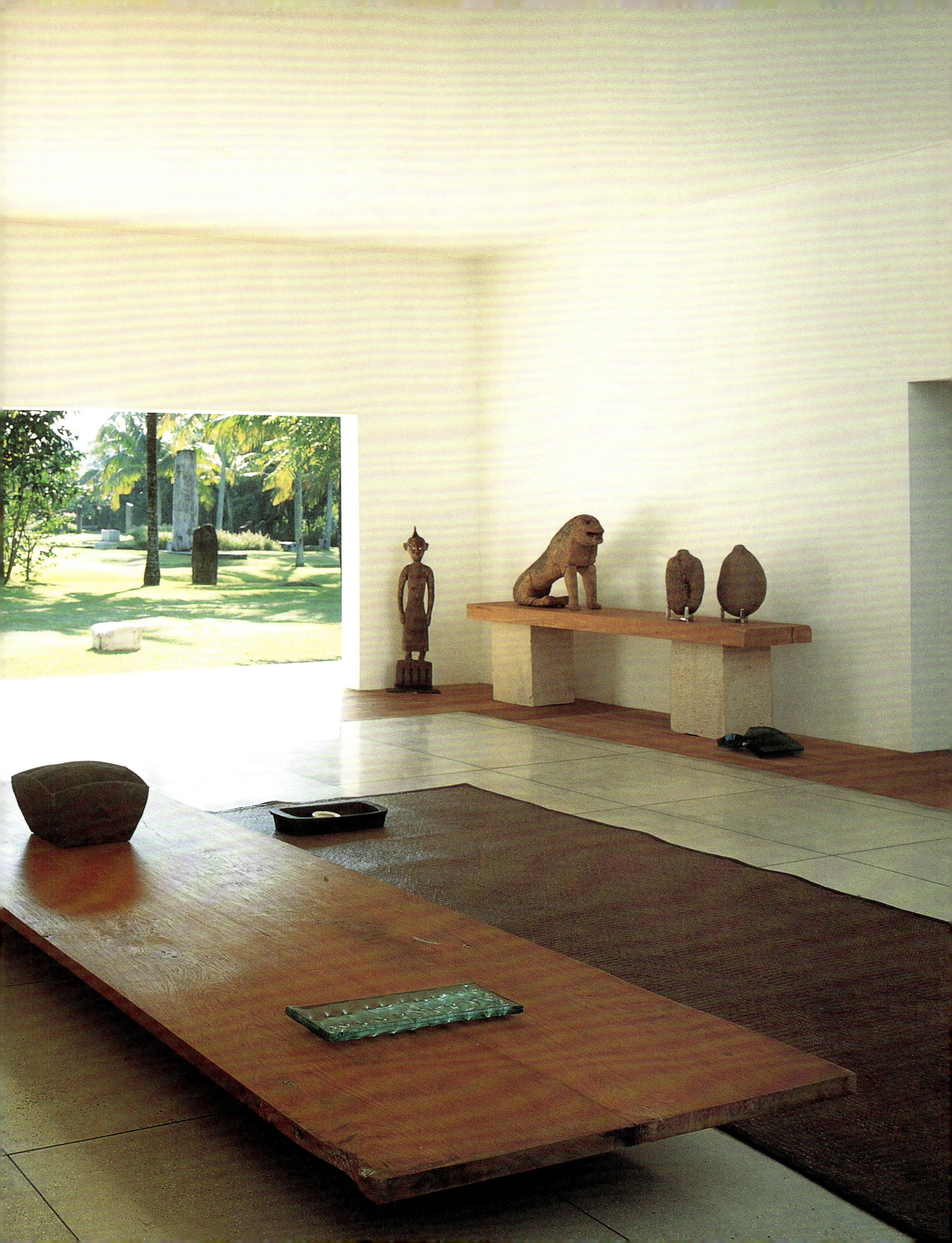

上：ガラスプレート。セイキ・トリゲ作。
前ページ：日本人美術愛好家宅。日当たりの良い庭を臨むリビングルーム。

昔ながらの藁ぶき小屋が、今では住む場所として人気が高い。島で長年培われた建築技術と今日のセンスが共鳴すると、オリジナリティあふれる新しい「夢の家」が誕生する。クラシックとモダン、天然素材と金属やプラスチック、ハイテク機器とハンドメイドの調度品などといった対比の効果も重要だ。バリに伝わる建築技術を使いながら、それ以外の地域からの流行も取り込んで、さらにバリのふんだんな資源を生かしていることは、数々のヴィラが物語っている。クオリティの高さが「バリ・スタイル」のポイントだ。

上：ガラスのディナーセット：皿、グラス、キャンドルホルダー。セイキ・トリゲ作。
次ページ：エディス・ジェスティスのスペイン風ヴィラ。リビングからプールを臨む。

この本では「ニュー・トロピカル・インターナショナリズム」の例となるような個人邸、ギャラリー、レストランを多く紹介している。これらはバリ伝統の建築遺産とは別物で、その域を越えたものだといえる。たとえば、日本の禅の影響を受けたもの、150年の歴史があるトバ・バタク族の家に手を加えてモダンなインテリアを施したもの、19世紀のジョグロ（中折れ）屋根を持ったスペイン風のヴィラなどだ。また、ボルネオ産や地元産のメルバウ、ベンカライの木材が、金属、スチール、プラスチックと共に使われて屋根板となっているものもあれば、アラン・アランの草ぶき屋根に強

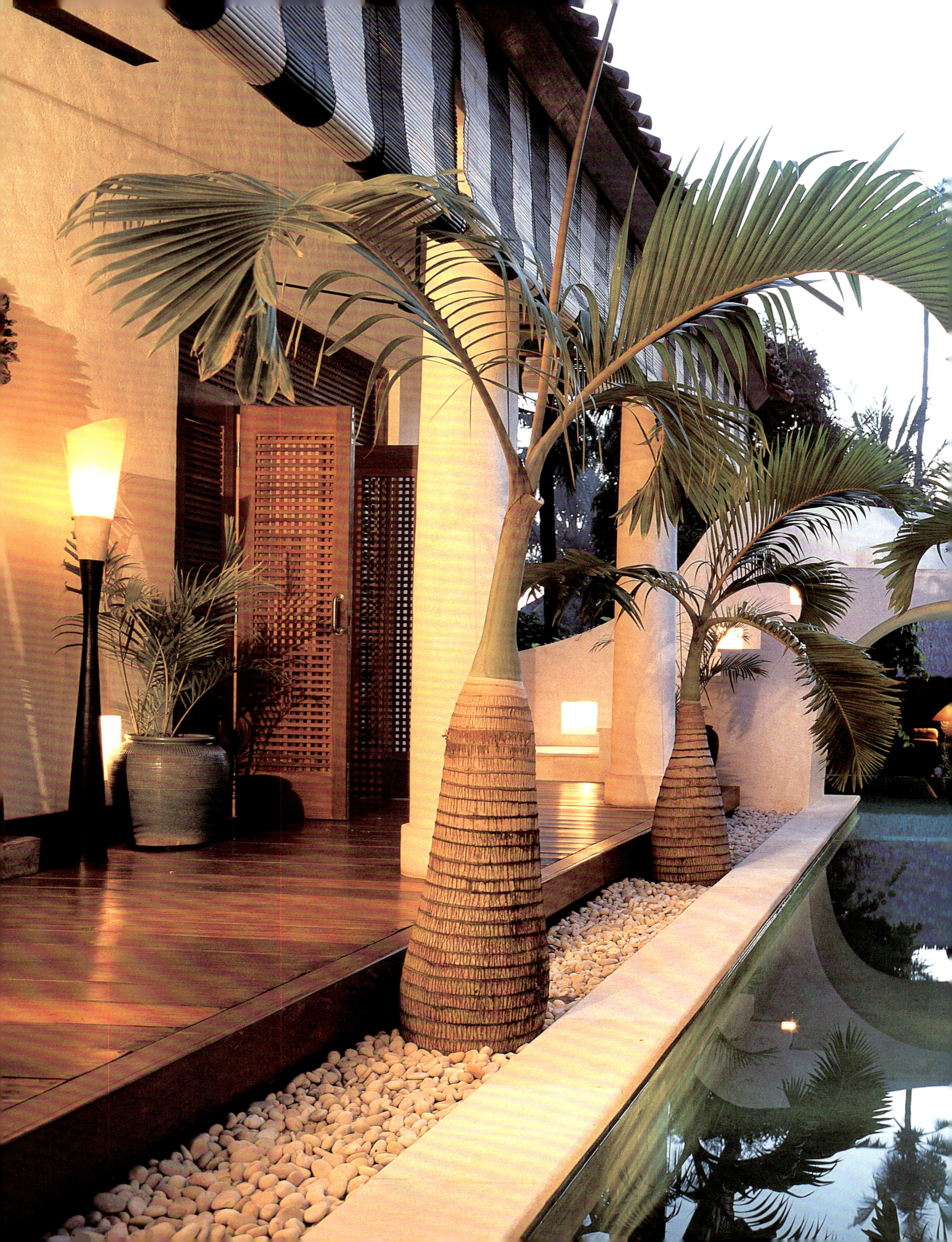

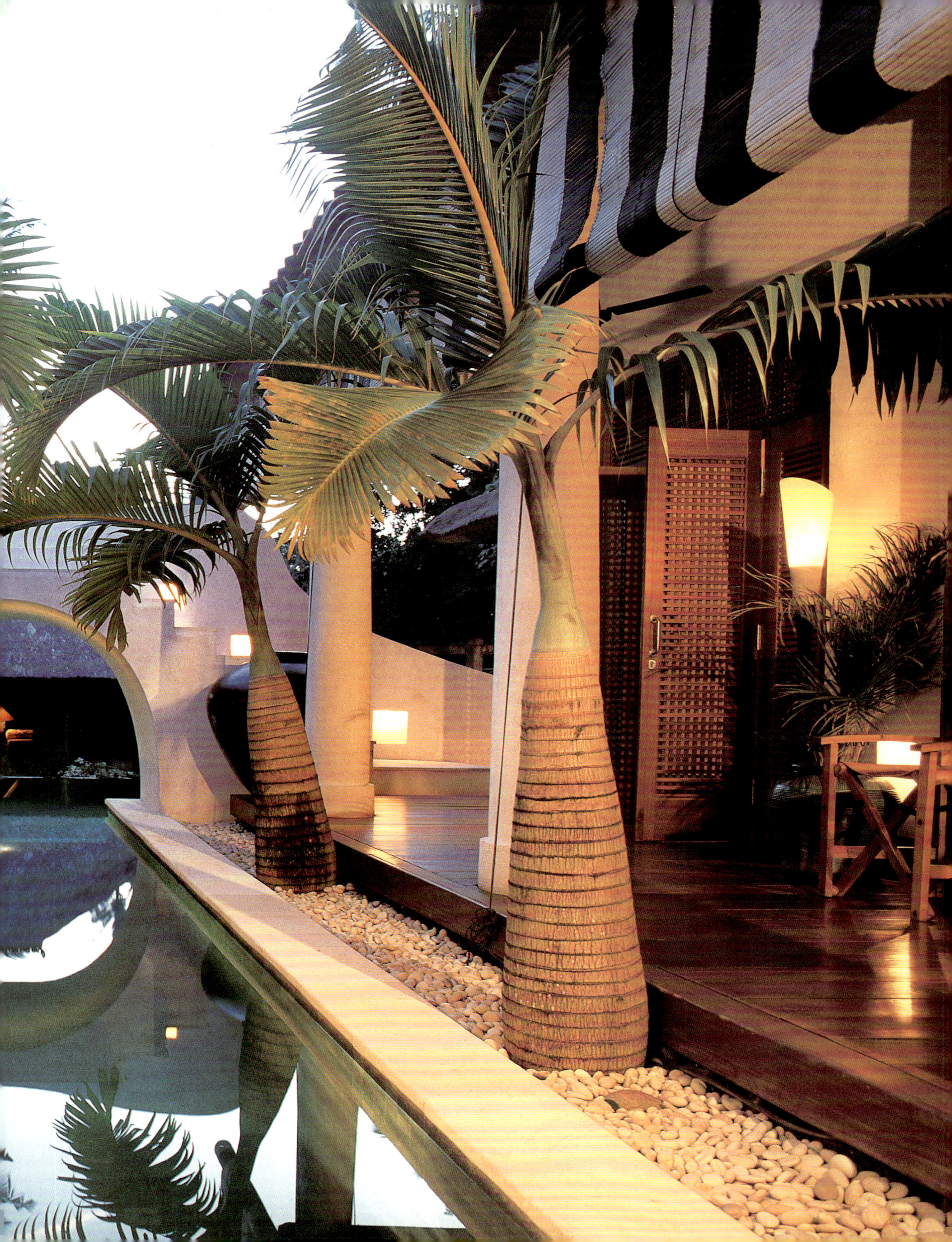

上：ディーン・ケンプニッチがデザインしたベッドルーム。紫とチェリー・レッドがベースカラーで、枕板では木製の台座の上に象の石像が鎮座している。アクリル画は地元アーティストのメイド・ケンバー作。

いラインや幾何学模様で所々にアクセントをつけたものもある。建築スタイルはバラエティに富んでいるが、どれも今風であるのが共通点だ。

　もちろん、どれもこれもまったく新しいものというわけではない。だが、デザイナーやリゾート・スパの経営者、ガラス職人、陶芸家などは、この島に惹かれてやって来る観光客の傾向をよく見ていて、新たな動きを捉えている。果敢だった30年代の旅行者たちは、現在と同じくらいのバリの魅力を当時すでに発見していた。中には、ウブドの王子チョコルダに目をかけられたウォルター・スピースやルドルフ・ボネットといった欧州の画家たちもいた。彼らはアトリエを作り、同化と交流を繰り返して独自性を発展させたし、絵画や彫刻、ダンス、音楽の分野でもその傾向は続いた。

　60年代、70年代になると、西洋のヒッピーたちが、この島の神秘やヒンドゥー教徒の穏やかさ、太陽が降り注ぐ暮らしに魅力を見出して、新たなブームを起こした。小

上：日本人アーティスト宅の広々としたベッドルーム。ベッドは古代バリ様式で優しい色使いだ。インド製のカーペットとボルネオ製の像が目を引く。

さなコテージがたくさん開業し、競争を勝ち抜いたものは今日のデザインの牽引力にもなっている。

　こうして成功した事業の多くは、ある時期に移入して来た住民によって経営されている。彼らがやって来たのは20世紀の終わりだったが、その頃のバリはインドネシアの他の地域と違って好景気だった。丘の上のハンモックに揺られているよりは、携帯電話で忙しそうにしゃべっていることが多い人たちだが、もちろん彼らもトロピカル・ドリームにあこがれはある。土地を買い、家を買い、ビジネスを始め、島の自然資源を利用し、商業主義にも火をつけた。彼らの才能と、自然素材の豊富さ、模倣と創作を同時に行える地元工芸家の柔軟性、そして観光産業の発展は相まって、その勢いは止まるところを知らない。今では、バリの建築業者、家具デザイナー、陶芸家、ジュエリーデザイナー、服飾家、彫刻家、ガラス職人、照明デザイナーたちはリストアップできないくらいたくさんいる。

上：ウブド郊外のベガワン・ギリ地区にあるビジ・レストラン。薄板ガラスのバーカウンターや装飾はセイキ・トリゲ作。
右ページ：シン・シン夫人の個人邸リビング。光に満ちた広々とした空間が特徴。

　こうしたクリエイターたちが家の装飾をする場合、一度作ったコンセプトを繰り返し使うことが多い。彫刻家や家具職人、照明デザイナーはバリの豊かな自然素材を用いることがほとんどで、地場の木、真珠貝、樹脂、石など島中の誰もが知っているようなものをカットし、彫り、形を整えて、家の建て主の夢へと変えている。そのデザインは最先端で、こうして出来た家々は田園に囲まれている点を除けば、ニューヨークのマンションと見まちがうほどだ。元々は周囲の島にルーツがあるバティック（ろうけつ染め）やイカット（絣）といったファブリック類も、センスのよいクッションやカーテンに姿を変える。こうした高品質の品々は国内で消費されるだけでなく輸出もされ、欧米やオーストラリアの高級店からの注文も多い。

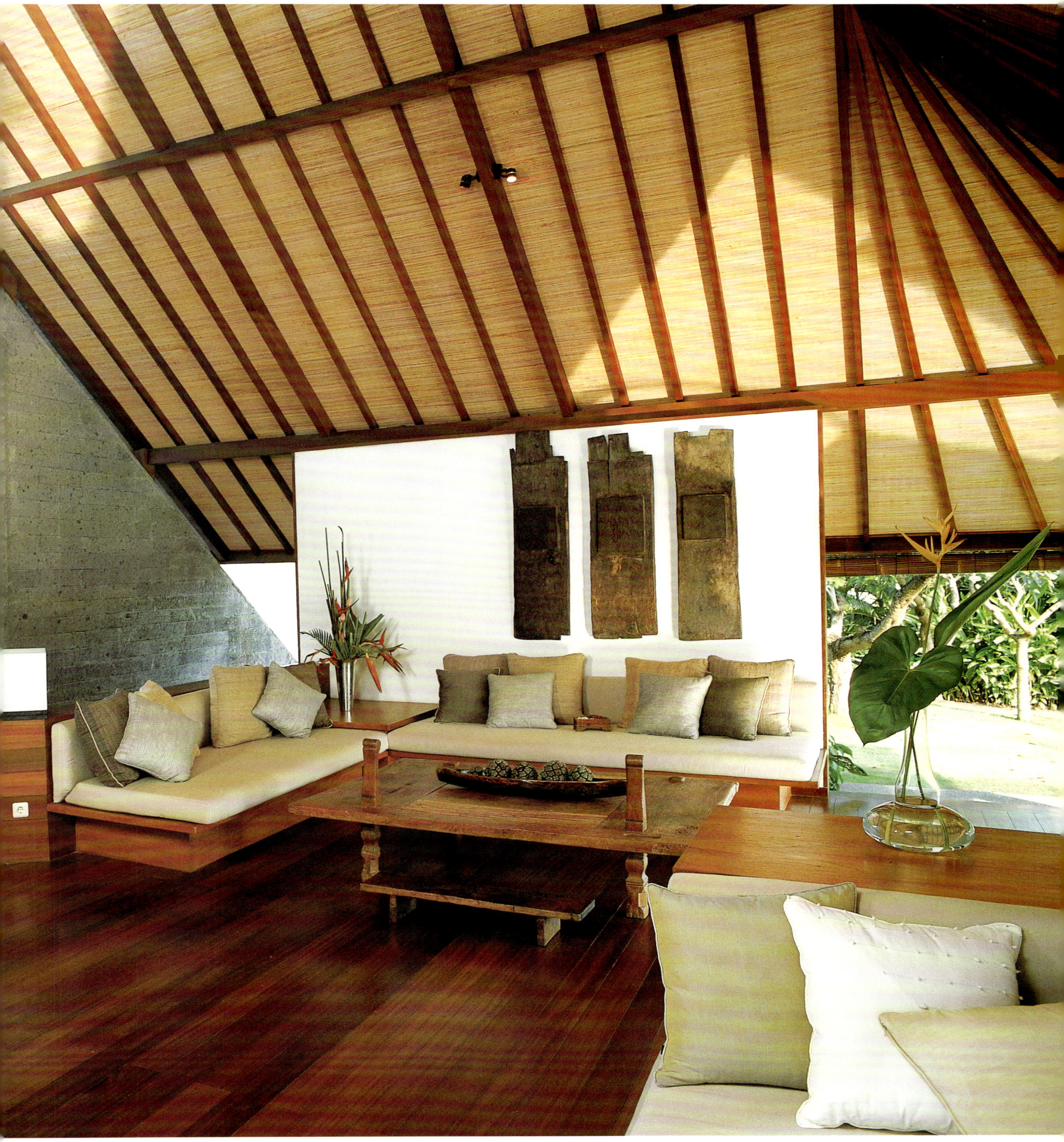

上：ウブドにあるガヤ・ギャラリー。テーブルランナーを壁掛けに、集魚灯をランプシェードに見立てている。肖像画はフィリッポ・シャーシャ作。
右ページ：リサイクル・ガラスから作ったアレンジメント。エソック・ルサ・ギャラリーのためにセイキ・トリゲが作製。
22-23ページ：イタリアのGMアーキテクツによる大規模な住宅プロジェクト。

紛れもない事実 —— それはバリというブランドがグローバル化しつつあることだ。ボンベイの映画スターはインド洋にあるバリ・スタイルのヴィラを所有し、アメリカのセレブもカリフォルニアやフロリダ、バハマにバリに似た楽園を求めている。また、近隣のマレーシアやタイ、フィリピン、オーストラリアの土地が個人によく買われているのも実はバリ・ブームの影響が大きい。バリのヴィラはトロピカル・リビングの新たな基準になり、品質とオリジナリティを高めたことで、バリ・スタイルはトロピカル・デザインの中心となった。そしてこのブームはさらなる未来を期待させるのである。

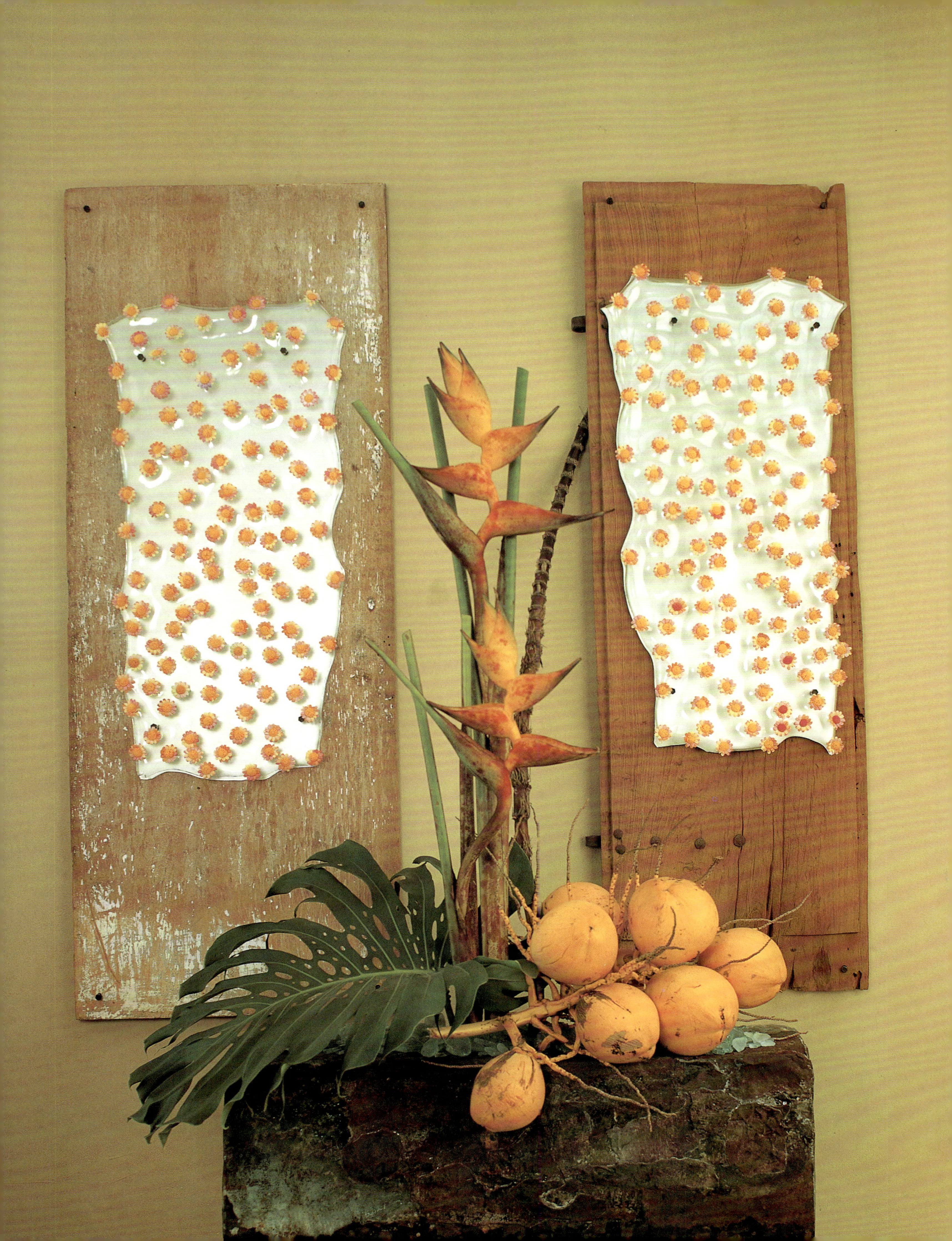

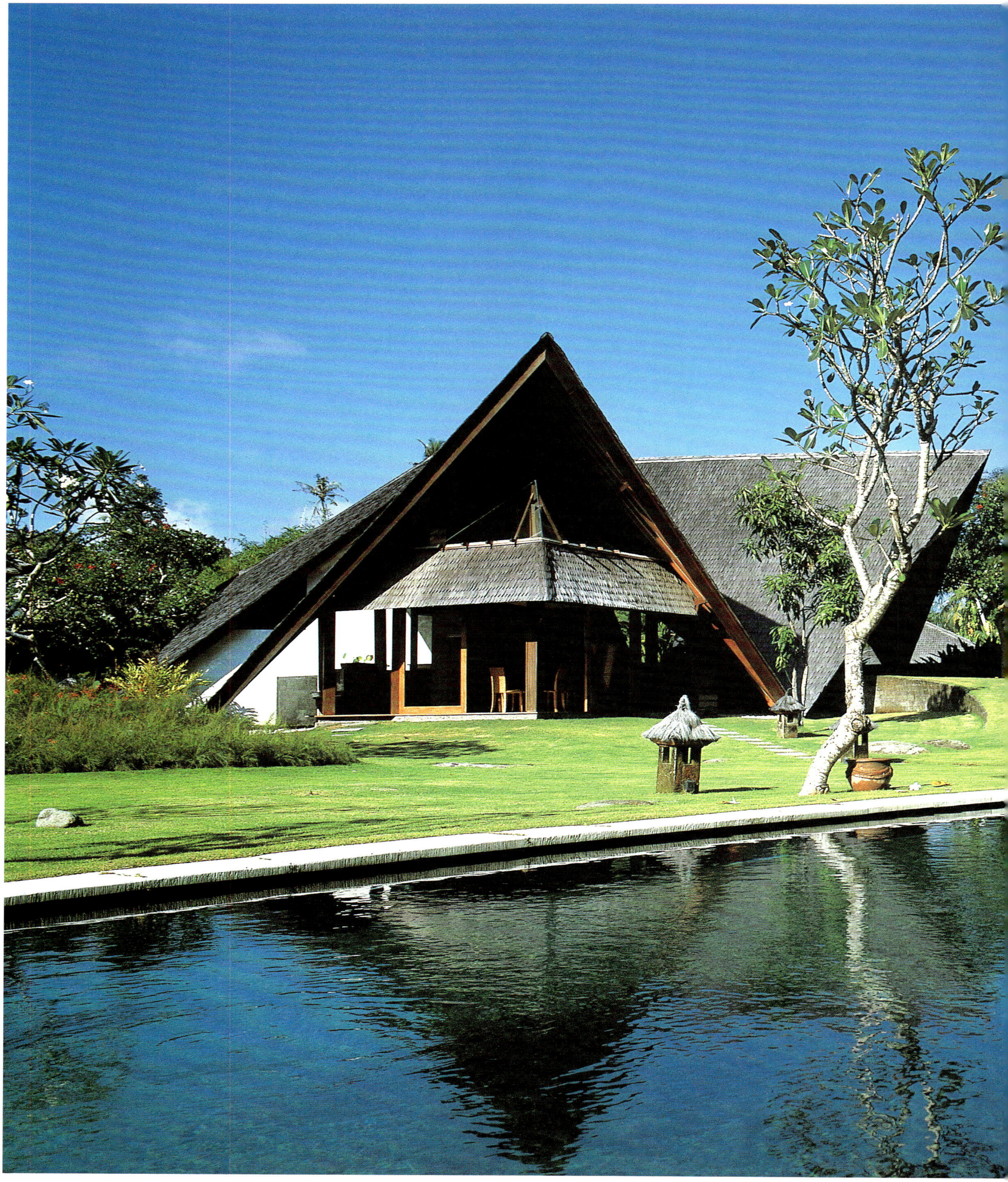

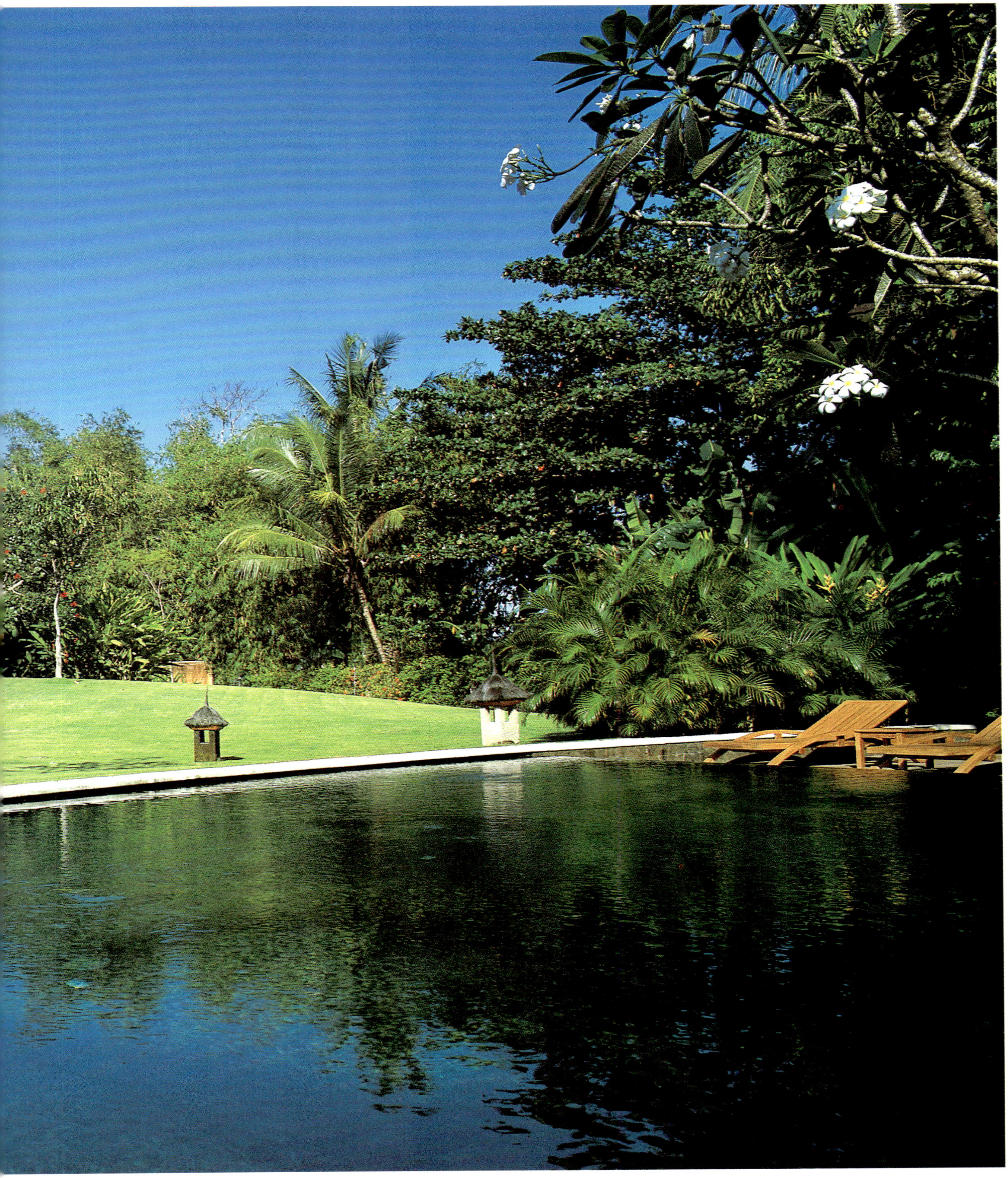

colonial modern
コロニアル・モダン

デサ・ブンバク地域のウマラスにあるこの邸宅は、フランスの画家兼彫刻家クロード・パパレラが設計した。彼がプライベートな時間を過ごす場所であり、制作や展示の場でもある。このL字型をしたコロニアル・スタイル（植民地時代の様式）の建物は高台にある。庭から見ると黒い人造石テラゾの階段（写真下）が白いパリマナン石の壁と鮮烈なコントラストを成している。階段を上ると家の勝手口に通じ、左手はベランダ、右手はテラスだ。禅を好んだパパレラらしく、室内はモダン・コロニアルの重厚さと禅の厳粛さが相互に影響し合っている。

黒と白のコンビネーションは、インテリアや家中に飾られた彼の作品の中にも多く登場するが、これを中和するように家具や調度品には原色が効果的にあしらわれている。使用している素材は、屋根のシラップ、柱のココナッツの木、壁の白石灰、床の黒セメント、浴室のパリマナン石、ベッドルームの床のメルバウなど様々だ。

右ページ：浴室は多目的に使えるようにモダン・トロピカル・スタイルでデザインされた。他の部屋と同様に凝った造りである。中央には赤いモチーフが目を引く火鉢を思わせるようなものがあるが、これはトルコの浴室にならった。後方には色々な素材でできた、あらゆる大きさのバスケットが並んでいる。

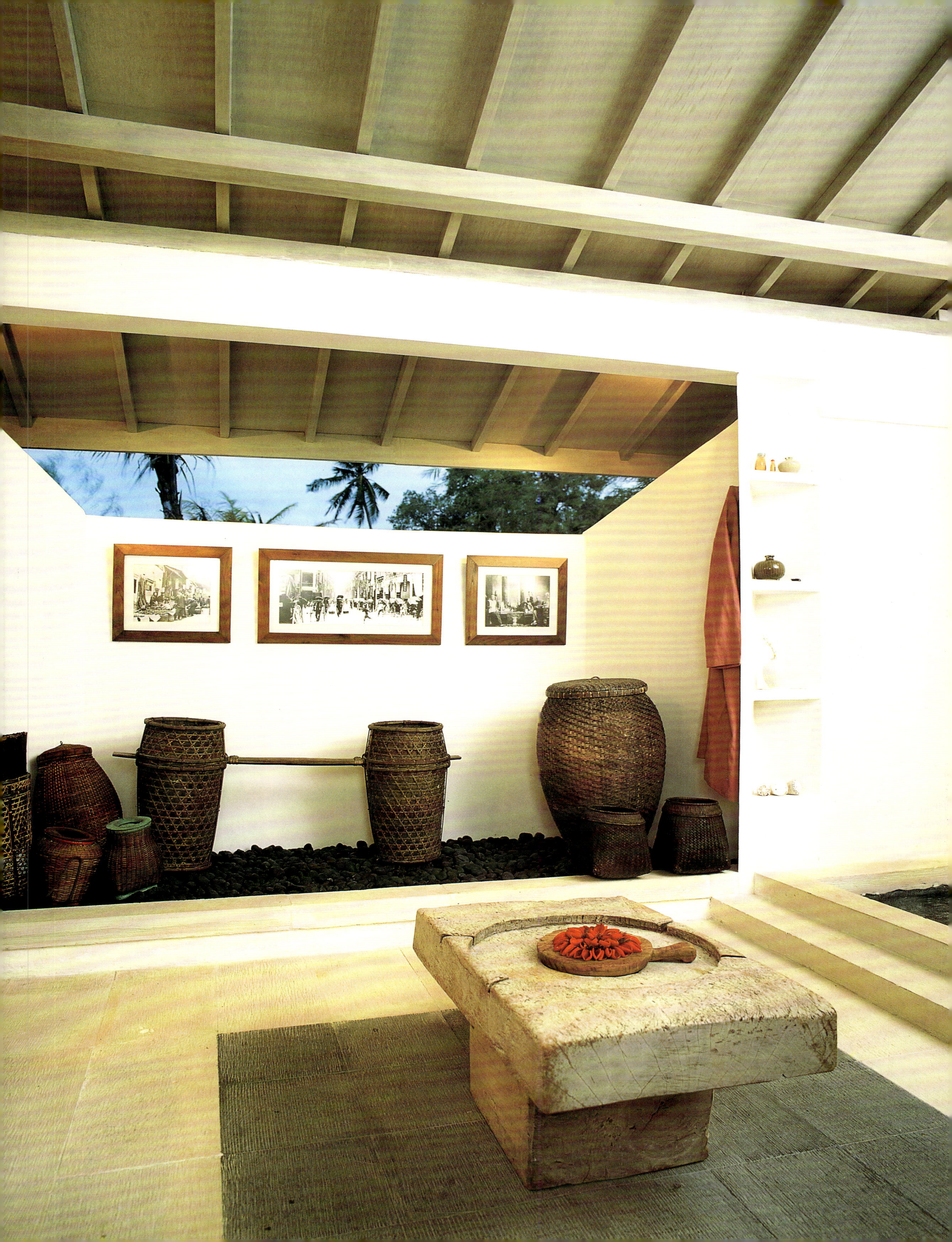

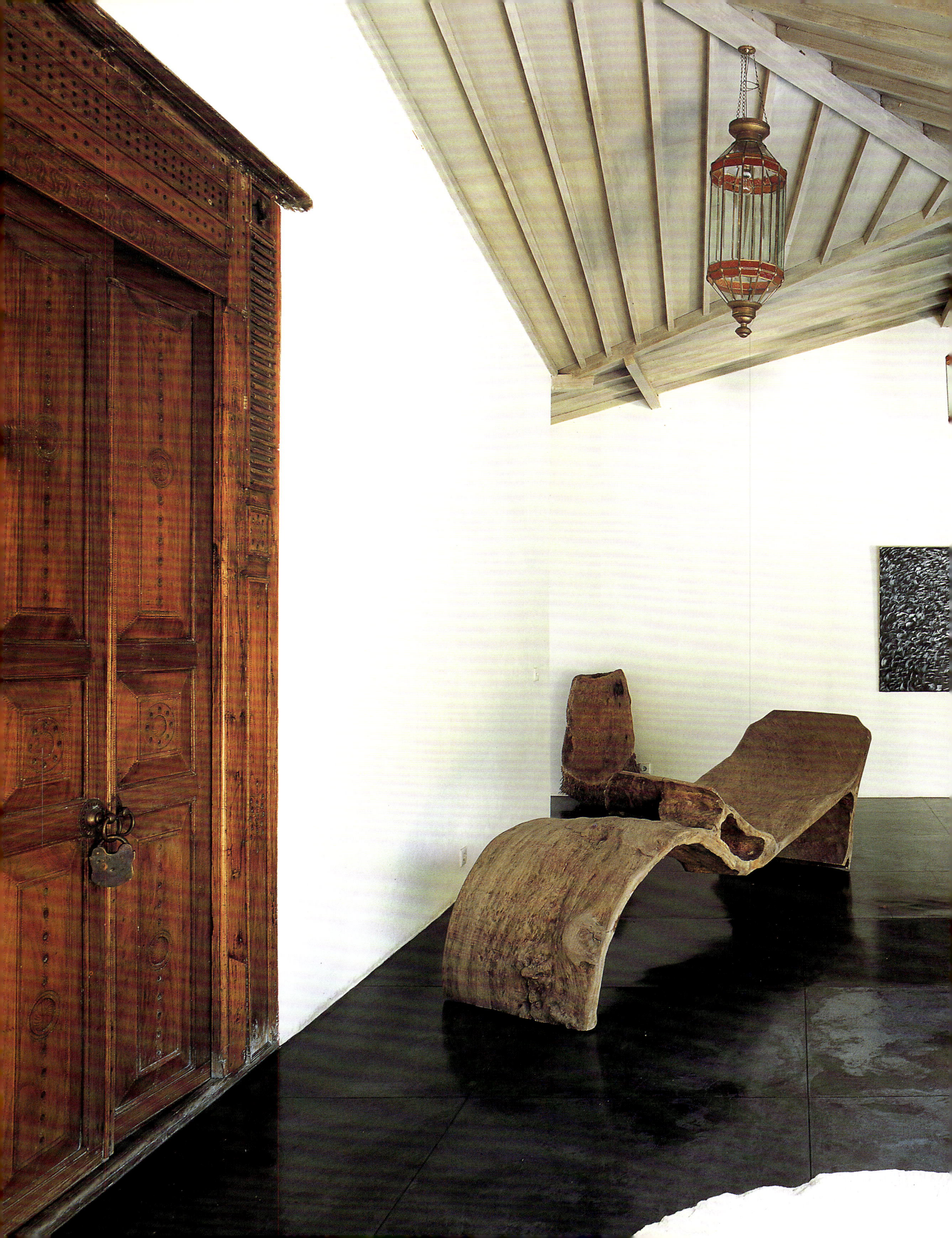

黒と白は玄関でも巧みに生きている。バリ・アンティークの扉とココナッツ材を用いた八角形の柱は、温かくて柔らかい。白く塗られた木の屋根の下では、長椅子のような置物やチーク材を使ったオブジェがたたずむ。上から吊り下げられたランプや大きな石壺、壁に掛かった絵も印象的だ。

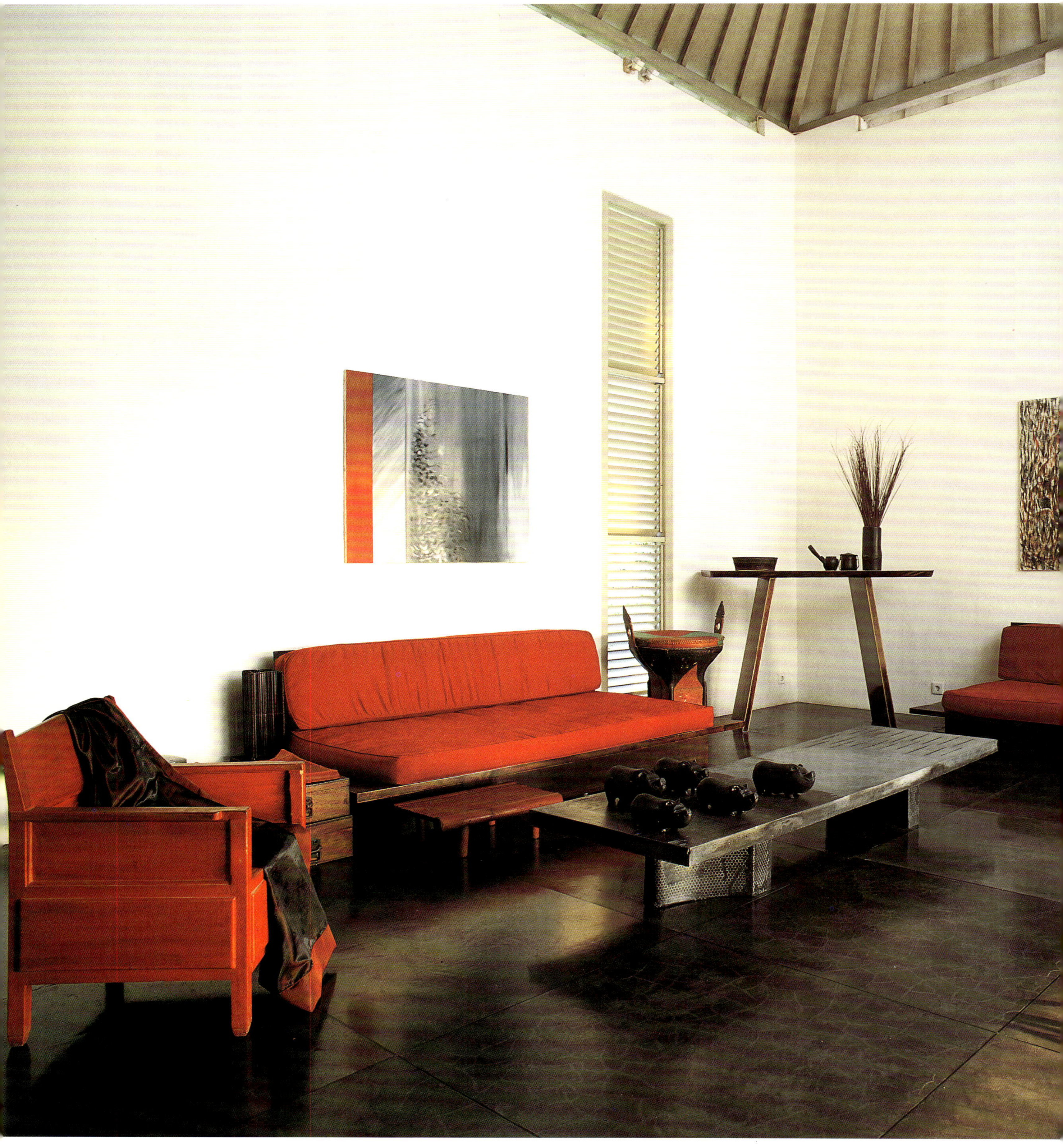

上：寝室でも赤がインパクトを与えている。白い壁と蚊帳地のカーテンに、アンティークの中国製キャビネットとモダンな彫刻が映える。ドアの向こうに見えるのはバスルーム。

左：リビングでは黒と白というテーマカラーが、ソファやハンドメイドの椅子の赤と対比を成している。この鮮明な色の組み合わせが、フォーマルでありながらも親しみやすい空間を作り上げた。後方にはパパレラ自身がデザインした背の高い木製テーブルがあり、禅の空気を漂わせている。黒いセメント仕上げのテーブルも彼のデザインで、独特だ。豚の置物が全体のムードを明るくしている。

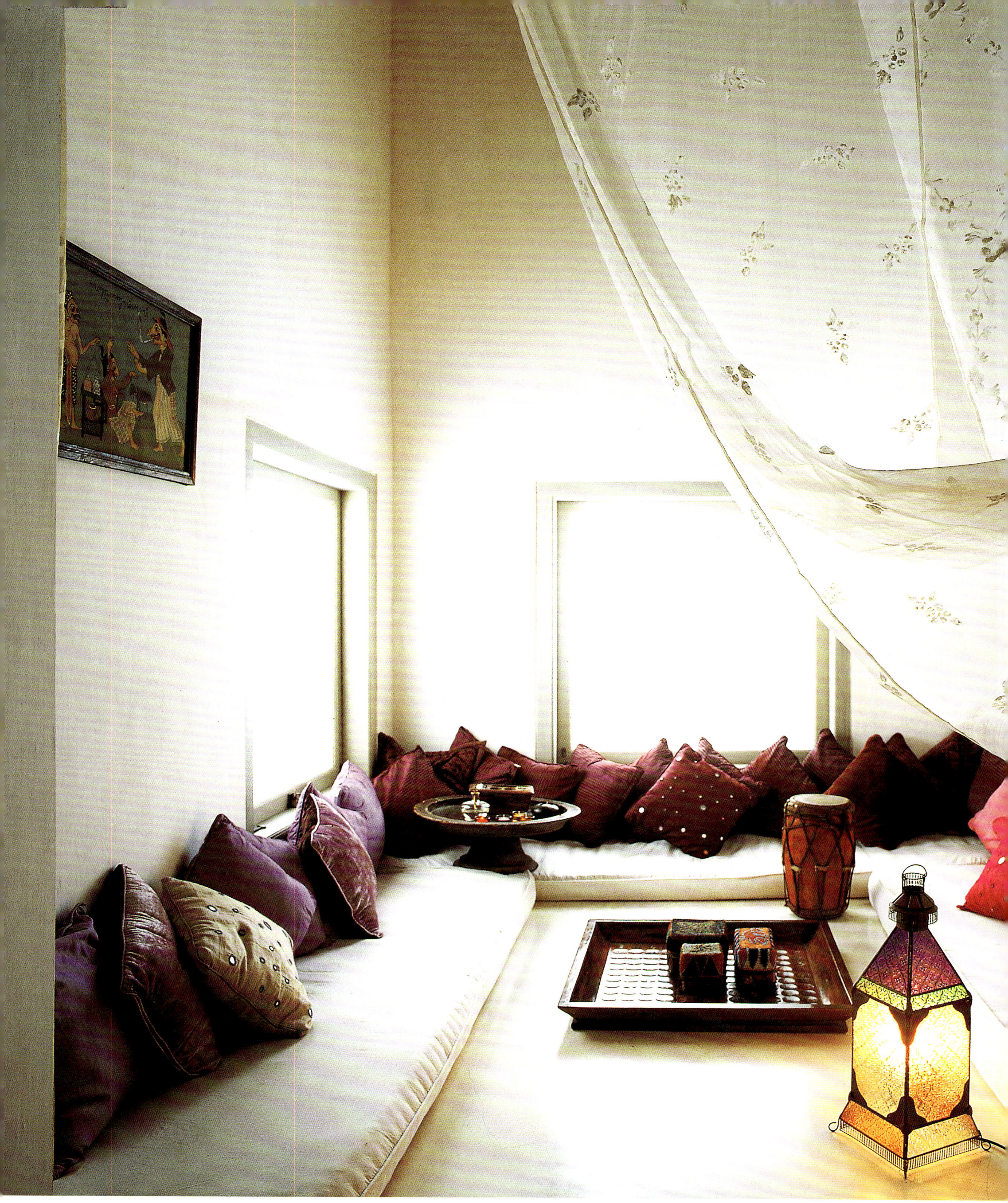

左：広々としたリビングの一角にあるラウンジ・エリア。ドミニク・セガンがデザインして手で絵付けされたシルクのカーテン、白い大きなマットレス、赤、ピンク、ライラックのソフトシルクのクッションがポイントだ。ふたつの大きな窓からは気持ちの良い風が入ってくる。

下：ふたつあるうちの小さい方のバスルームは、少し趣きが違う。黒いテラゾの洗面台が象牙色の石製の台座とコントラストを成す。薄いカーテンがプライバシーを守っている。

variations on a theme
あるテーマのバリエーション

クロボカン地区の水田地帯の真ん中にあるこの場所には、三つのヴィラが建っている。オーガニックという建築哲学を貫いて周囲にデザインをフィットさせながらも、各ヴィラは最新の建築の素晴らしさを十分に見せつけている。香港の実業家シン・シン夫人が依頼主であるこのプロジェクトでは、三つの建物に一貫して「強くしっかりとした線と面」を持たせつつ（結果として屋根に一番良く表れている）、それぞれに個性を与えることが目指された。GMアーキテクツは地形の多様性を生かした他、壁を独立させたり、床の高さを変えたりしてこれを成功させている。

三つの違った空間に統一感を持たせるという今回のテーマを実現するには、様々な建築素材を利用すること、垂直と平面を対比させることの二点がポイントになった。前者としては、屋根をボルネオ産の屋根板でふき、内部構造や内装に地元のチークやベンカライを利用し、壁や床に色々な種類の石を組み合わせるなどした。後者の対比からは、ダイナミックな居住空間の中に自由な躍動感が生まれた。内と外の統一感を出すために景観は綿密に計画され、小道が自然に芝生に移行するなど、人間と自然のハーモニーが強調されている。

右ページ：パリマナン石で右手の生活スペースと左手のプライベートスペースに通じている。板ぶきの屋根は幾何学的ですべてを覆う構造だが、内と外の世界を結ぶ役割もしている。庭には異国情緒あふれる石像があり、ゲストを迎える。
上：庭にあるモダンなバレ（あずま屋）。
左：内と外の調和を特徴づけるダイニングスペース。

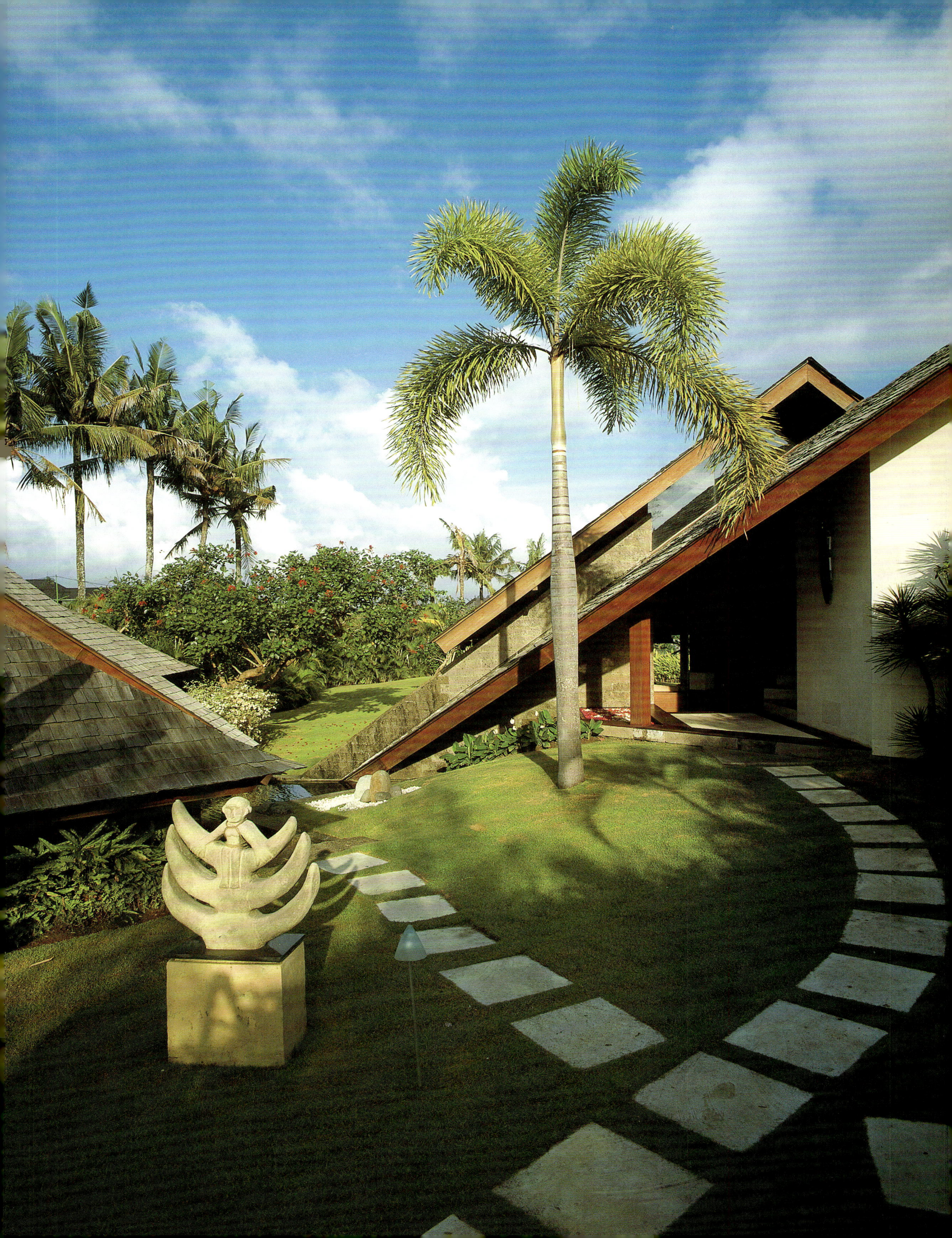

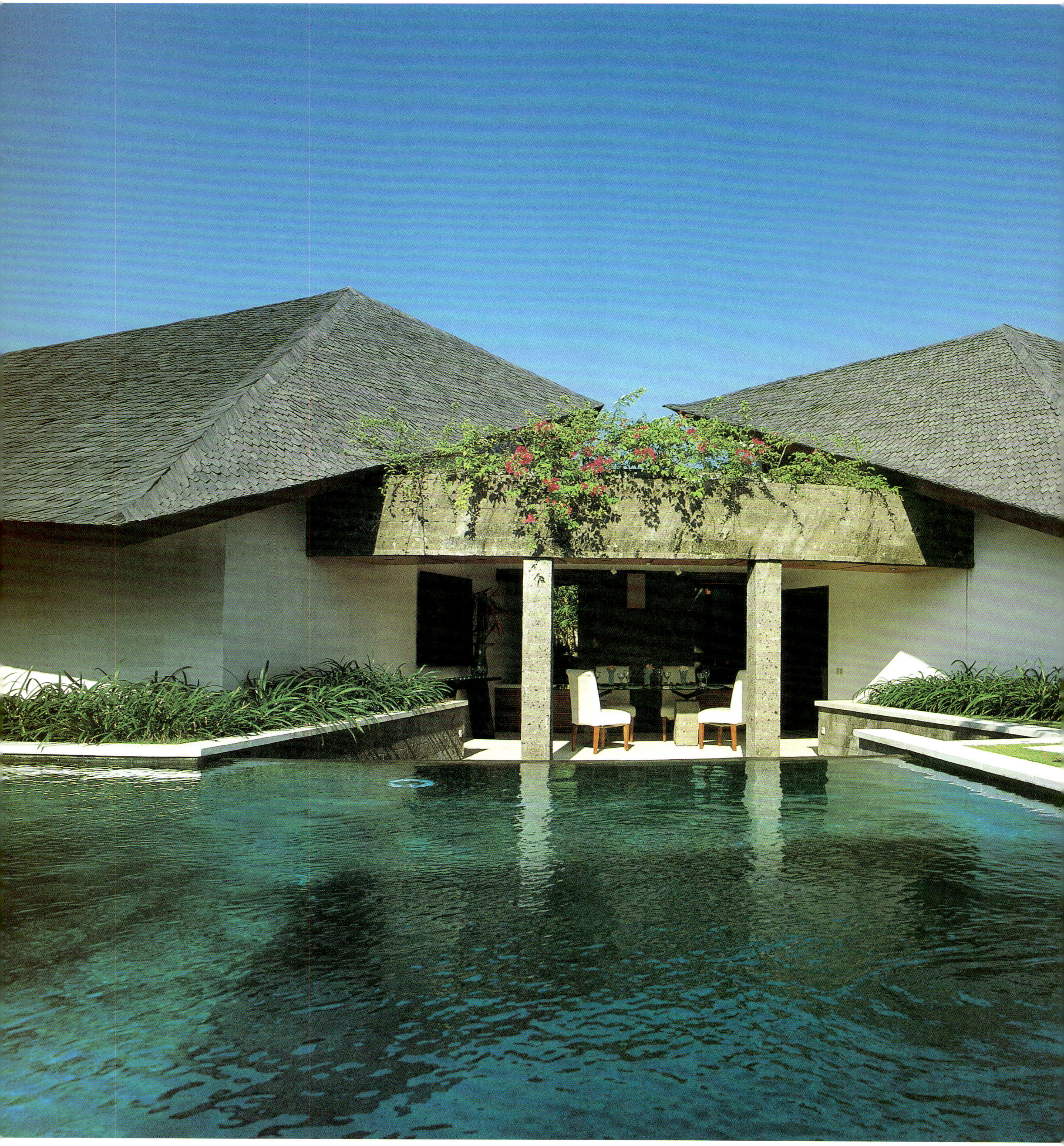

プールはこのプロジェクトでの目玉である。左のヴィラではダイニングが水に接している。幾何学的な屋根も特徴だ（室内は39ページ参照）。上は別のヴィラだが、こちらではリビングがプールに面している。

幾何学的なフォルムと構造が存分に生かされたリビングエリア。五角形の天井が独特だ。清潔感のあるシンプルなデザインと白い壁は開放的で、後方の中二階はグレーの石が支えている。暖かみのある木製家具、ファブリック類、エスニックな調度品からも気品が漂う。「西洋と東洋の融合」が設計者と依頼主の共通した意向だった。モダンな肖像画と白地に黒で描かれた絵の配置も完璧である。

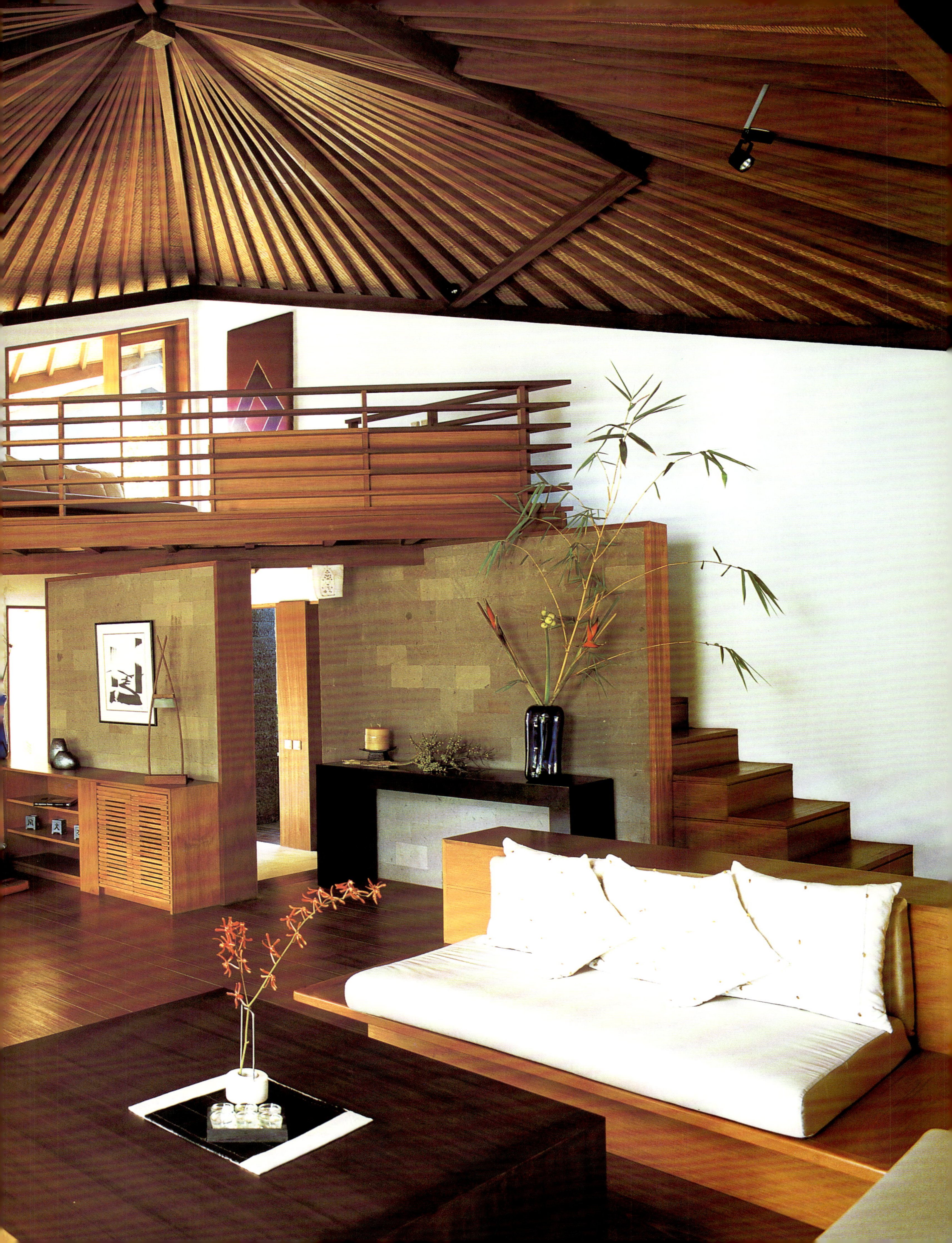

上：リサイクル・ガラスを用いた花瓶、プレート、グラス。セイキ・トリゲ作。

右：ダイニングでは、このヴィラのポイントであるプールに面したウッド・デッキが、内と外を結ぶ重要な役割を果たしている。ダイニングテーブルは、薄いガラス板を金属とクロボカンの石が支えており、この部屋を洗練された空間にしている。壁に掛かった黒い絵は、同じく黒い飾り台とともに、清潔感あふれる部屋のポイントにもなっている。

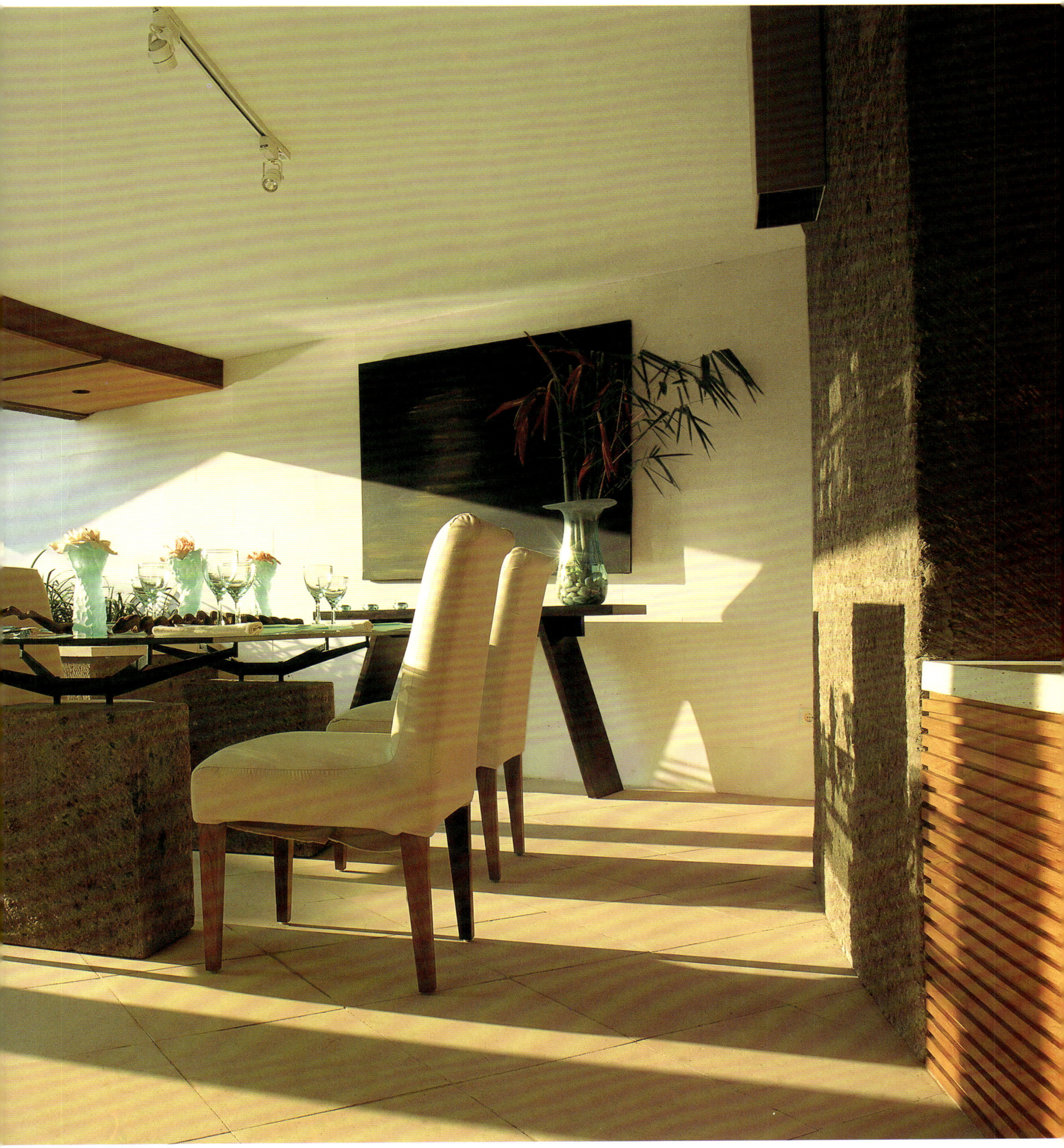

プールは内と外との融合という点で重要な役割を果たしている。スペース全体が、ダイニング・エリアのような印象を与えている。上部にある眺めの良いテラスは水平構造で、屋根の傾きと対照的でおもしろい。右手には現代風にアレンジしたバレがあり、リラックス出来るスペースになっている。

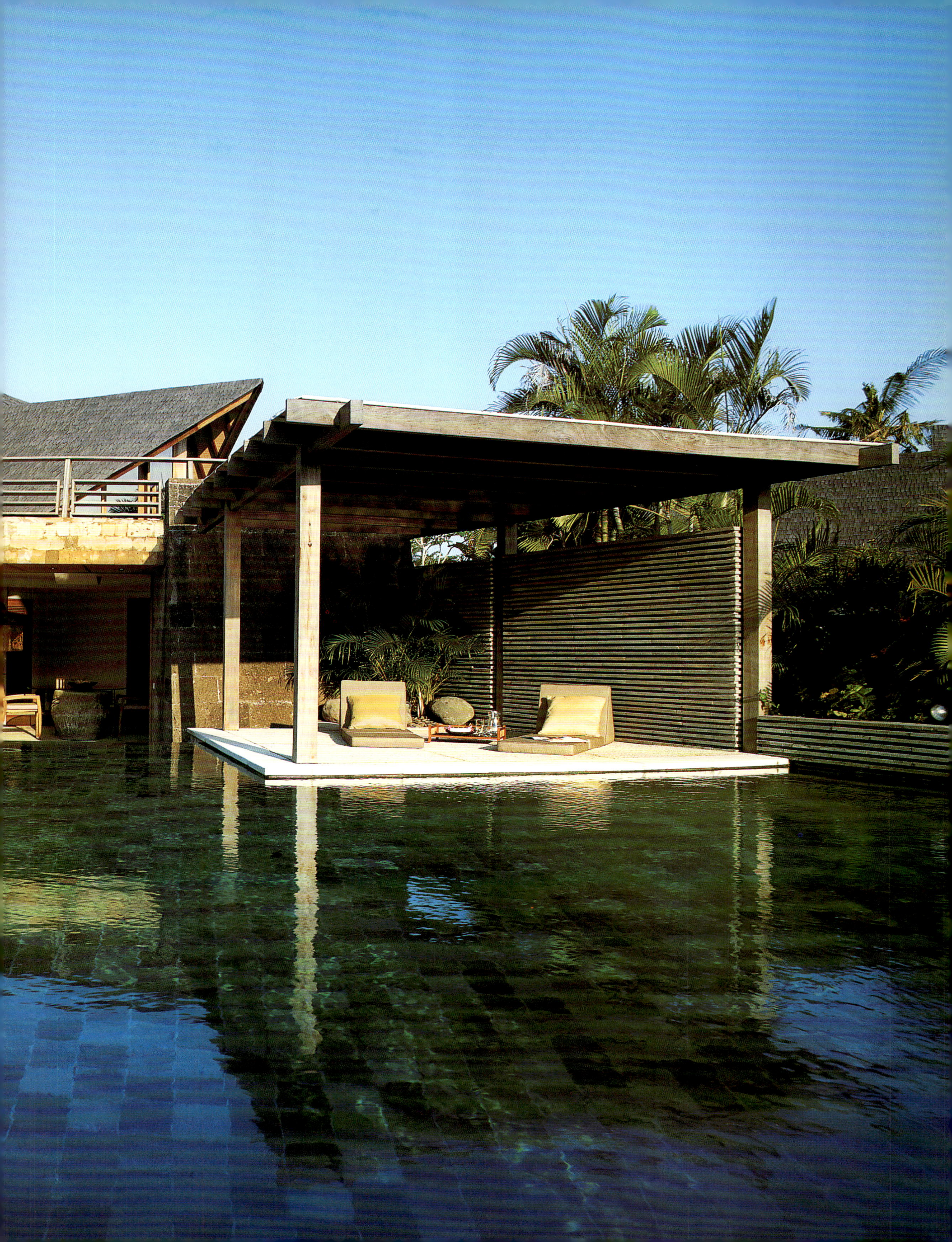

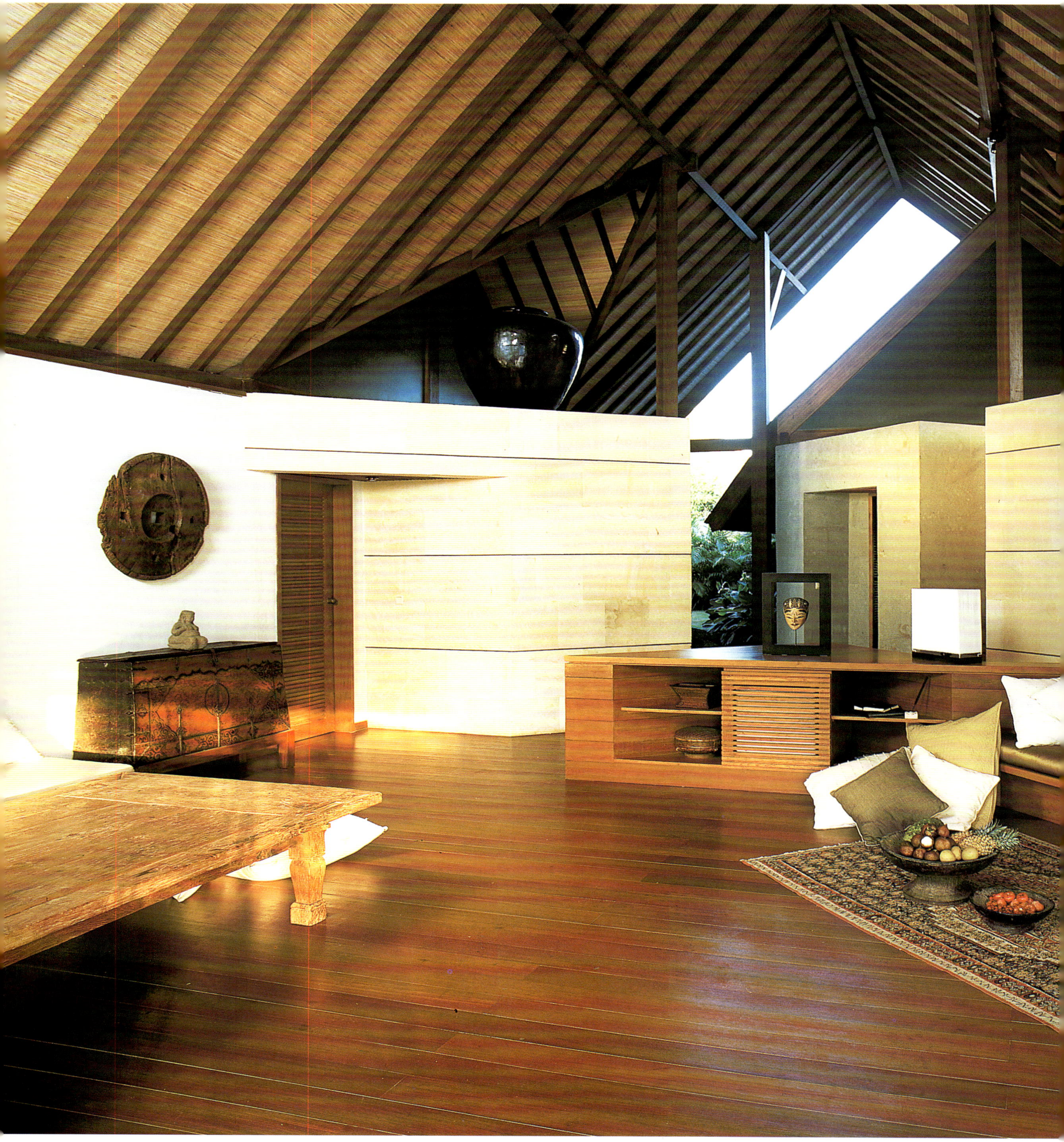

左：家から離れて浮かんでいるようにも見える屋根もこのヴィラの特徴だ。プライベート空間を完全に包み込んでいるが、その独特の構造から光と空気の競演も見られる。ふんだんにあしらわれた木や石などの自然素材とシルクのファブリックが、部屋全体に暖かみを与える。

上：日本式庭園を臨むこのジャグジーバスは誰をも魅了する。エスニックな竹製の梯子をタオル掛けに見立て、アクセントにしている。

すっきりとして上品なダイニングルームだが、色々な素材を用いることで柔らかな雰囲気になっている。木目の模様をつけた石壁は、地元の古い石にガラス板を合わせた珍しいテーブルにピッタリだ。金色を施したバリ風の飾り棚と、花瓶を置いた黒い台で全体が引き締まっている。

上：ファブリック類にこだわった
ベッドルームはスタイリッシュだ。
白く透き通るような蚊帳地は心地
よさを演出し、インド綿の手染め
のベッドカバーやクッション、キ
リム（パキスタン製じゅうたん）、
アンティークのキャメルバッグ
（ラクダや馬の背に載せる運搬用の
袋）が生きている。

左：木、石、テラゾを用いたエレ
ガントな洗面室。屋外のシャワー
へとつながる。

in the lap of tropical luxury
トロピカルムードを満喫

ウブド近くのケンデラン村の森林地帯にあるこの邸宅は、急な坂を上ったところにある。周囲の自然と一体化しながらもプライバシーが守られているので、存分に羽が伸ばすことができる。GMアーキテクツは、この環境、坂の傾斜、そして元々あったバリ古代の寺院を生かすことにし、古来の建築工法を守りながら静謐な館を造り上げた。

　リタイアしたスイスの実業家が所有するこの邸宅は、リビングとダイニングのあるメインハウス、キッチン付きの離れ、別棟になったベッドルーム、ゲストハウスに分かれている。メインハウス（写真上）は緩やかに傾斜した低い屋根が目印だ。中央のガラス窓は上階を換気しつつ、一階のリビングとダイニングに光を与えている。

ゲストハウス（左、右ページ）はガラス屋根で、ピラミッドをふたつ合わせたようなユニークな構造をしている。壁はパリマナン石で、水平方向のチーク材がポイントだ。ミニ・ジャングルを抜けるとメインハウスの裏手にあるプールに通じる。坂の上にあるこのプールからの眺めは絶景で、トロピカルな気分が満喫出来る。

右ページ：外との境界にあたるこのスペースでは、白い大きなランプが存在感たっぷりに鎮座している。チーク材枠のガラス戸と、テラスに張り出した屋根のバランスが美しい。木とガラスがキー・アイテムだが、これは他の建物でも同じである。

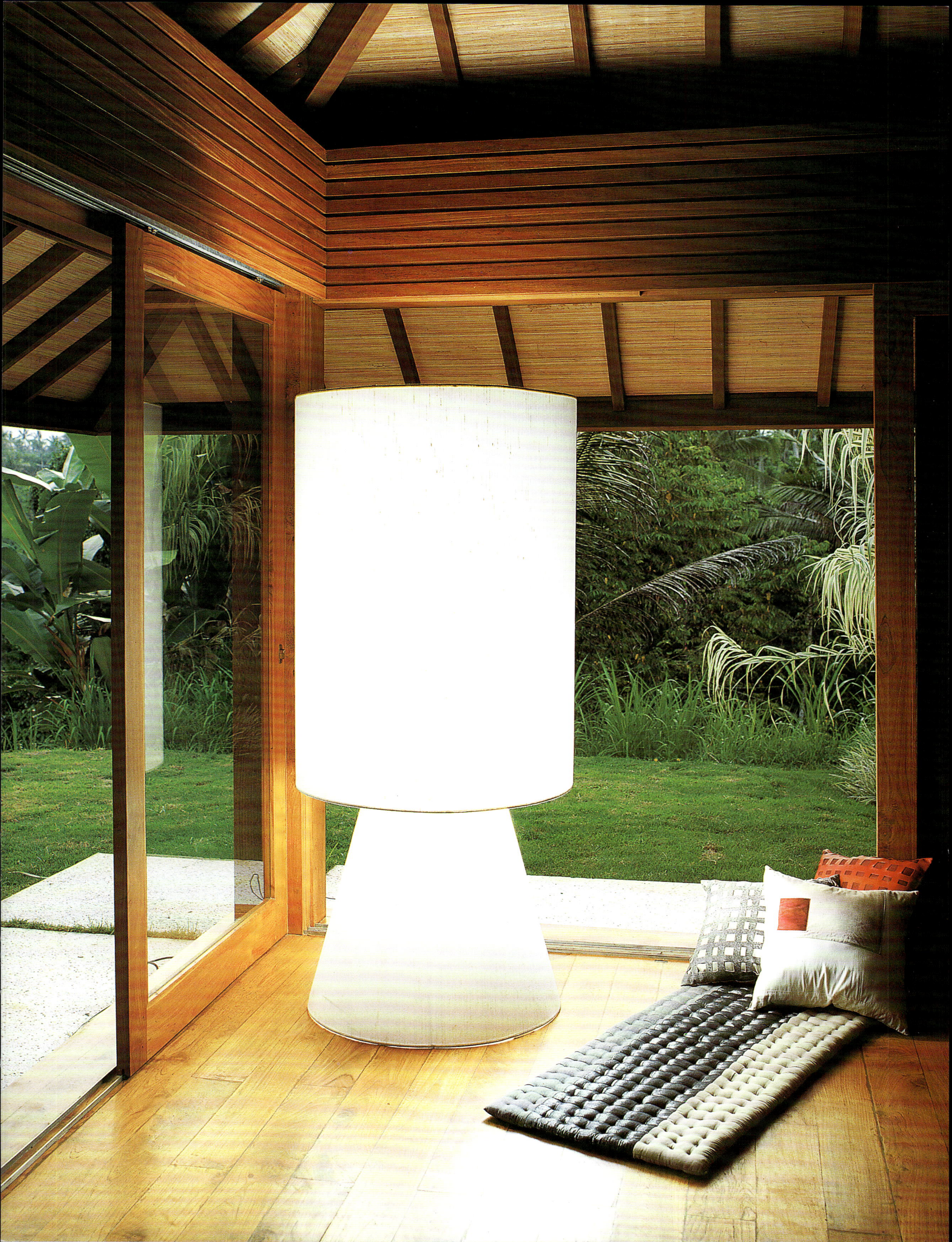

下：ゲストハウスは「トロピカル・モダン」建築の成功例といえるだろう。クロボカンの石座の上にそびえ立ち、ジョグジャの石とチーク材を用いた壁も珍しい。建物を覆うのはガラスの張り出し屋根で、ここにも木があしらわれている。この屋根には、日陰を作りながらも日光を取り入れる、外の景色を遮らず雨は入らないようにするというふたつの効果がある。

右：リビングはカラフルな調度品を置きながらも、静けさを秘めている。木をはめ込んだシンプルな石壁は、1970年代ドイツ製のソファと、チーク材のコーヒーテーブルにピッタリだ。コーナーにある丸みを帯びたランプシェードが、全体のシャープさを和らげている。壁にかかっているのはバリのアーティスト、ワヤン・カージャの作品で、同じ色調がクッションにも使われている。手前にあるテラコッタの装飾付きのブックエンドが遊び心を添えている。

EXPERIMENT
BAUHAUS
Geographica
The Indonesian Environmental Almanac

ダイニングでは、傾斜した天窓、チーク材のフローリング床、白い石壁、低くあつらえたクロボカンの石壁が魅力ある空間を作り出している。これらを背景に、エスニックな調度品やシンプルなガラステーブル、バウハウスのミースがデザインした椅子、木製の飾り机などが映える。壁にかかるモダンアートもアクセントだ。こうして、シンプルながらも和みのある空間が出来上がった。

邸宅の裏手にあるパティオにはコンクリートと砂利が敷かれ、ポンプ室、シャワールーム、バレ、プールへとつながっている。プールの端は断崖のようになっており、入ってみるとその感覚は二度と忘れないだろう。

set in stone
石を生かす

ウルワツ地区ペカトの丘の上にあるこの家からは、田園風景とインド洋が見える。屋根の上に造られたプールから見ると、その眺めは一段と素晴らしい。イタリアの建築家兼設計士であるジュゼッペ・ヴェルダッチはこのユニークな場所の立地だけなく、環境にも目をつけた。ここには昔から石灰岩があり、地元の人が何百年にもわたって採掘していた。昔はノコギリやノミで石灰岩を削っていたので、岩場にはその傷が幾何学的な模様を残しており、それがこの邸宅のアクセントになっている。建築に際してのコンセプトはこの特徴を最大限に生かすこと、そして建物を周囲の自然と一体化させて外からは何も見えないようにすることだった。

インテリアは美しい石灰石の壁に合うようにコーディネートされた。広々としたリビングには、多彩な素材、テイストのアイテムがたたずみ、その対比が美しい。バスルームは色々な素材を使いながらも統一感を持っている。他の部屋も木材、石、アンティークの家具などで落ち着いた雰囲気になっており、家中が細部までこだわって演出されている。

右ページ：長方形の板を石で支えたテーブルと背の高い椅子が、広々としたテラスの風景によく合う。家具や装飾品は、黒、茶、グレー、象牙色で統一されている。

左：リラックスルームは白いパリマナン石の床になっており、建築家が自らデザインしたブルーのソファーベッドとのハーモニーが美しい。アンティークのオランダ製冷蔵庫と、旅行用トランクを代用したコーヒーテーブルにもセンスが光る。

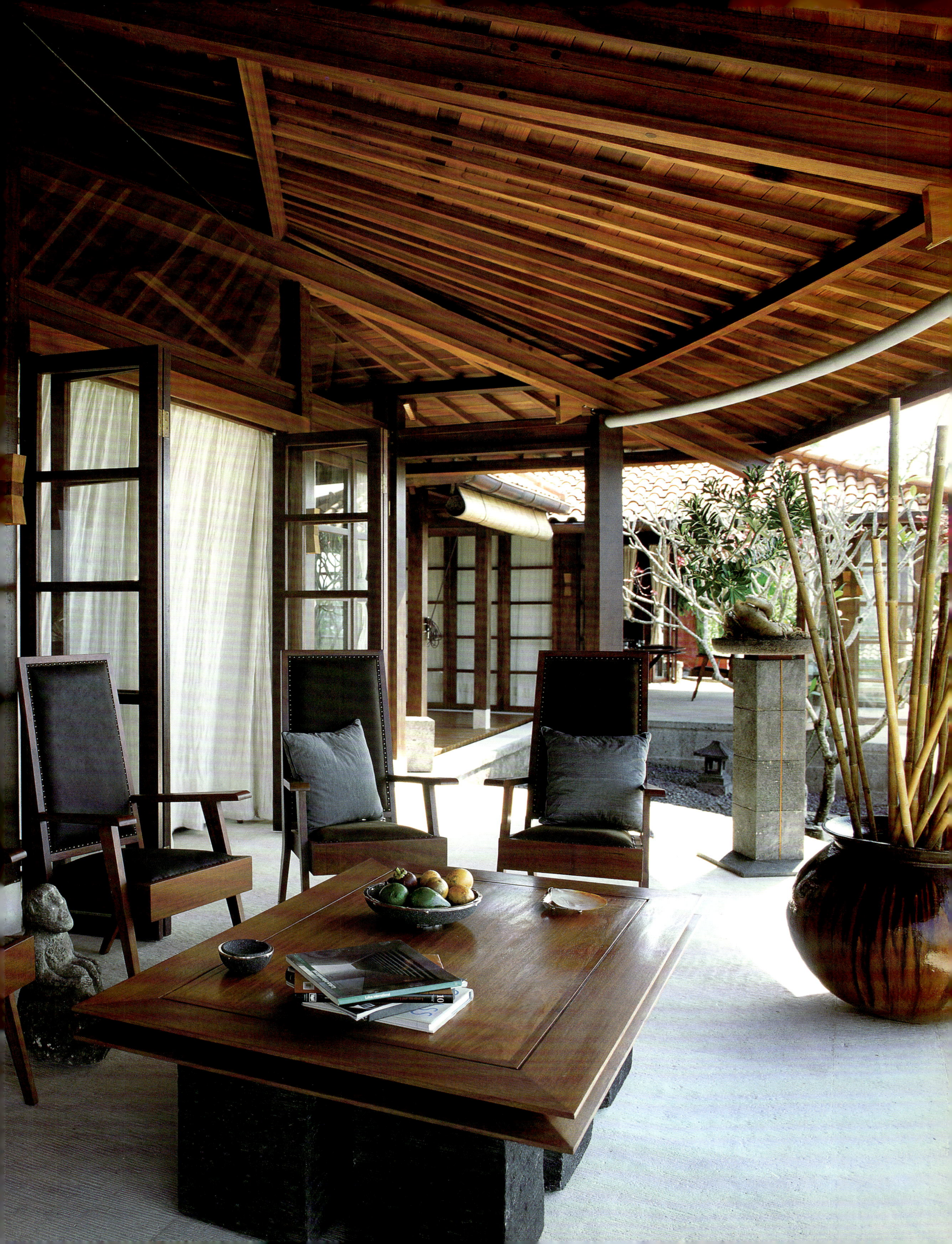

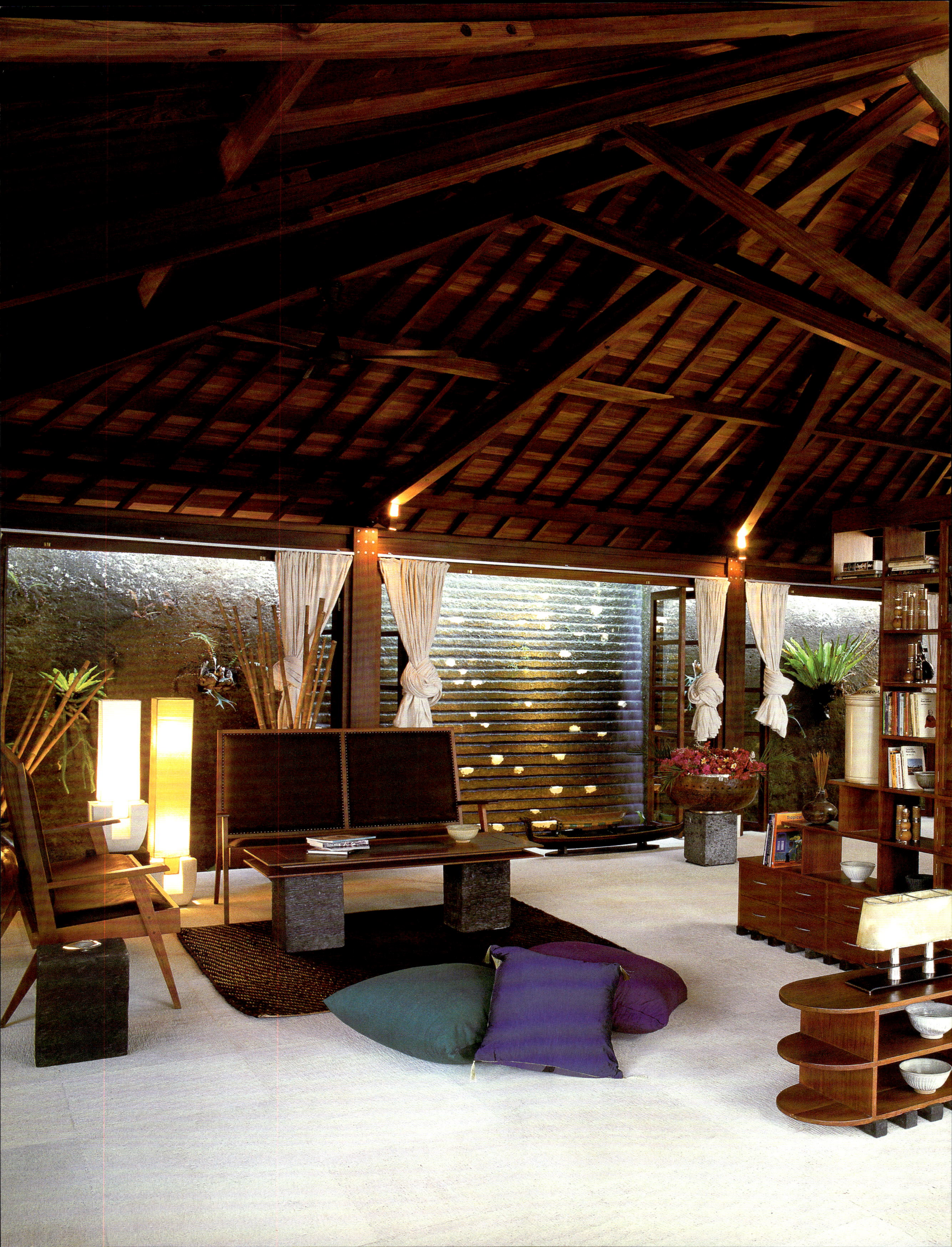

石灰石の壁が生かされたリビング
ルーム。石灰石は丈夫さ、多孔性
(穴の多さ)、不透明さなどの特性
が大理石に似ている。粗く削られ
た表面はその質感を際立たせ、柔
らかな光の照明と小さな滝の流れ
によく調和して、内と外との世界
をつないでいる。木組みの屋根と
象牙色の石の床など、内部のデザ
インはシンプルだ。中央の石柱が
部屋のシンボルになっているが、
石や木で作られた他の調度品も美
しい。ほとんどの家具や調度品は
ヴェルダッチ自身のデザインで、
この地の特性を生かすようにアレ
ンジされている。

家中のどの部屋も、その目的に合わせたムードを持つようにデザインされている。このベッドルームでは、木の質感と明るい色のアイテムが暖かみを、ジャワ・アンティークの扉やオランダのコロニアルスタイルのスーツケースなどが心地よさを与えている。後ろにあるのは、作りつけのワードローブ。他の部屋でも良く使われている黒い石がキングサイズのベッドを支えている。

クラシカルな雰囲気のバスルーム。石材を使い、ローマのスパを彷彿させる。木の柱、タイル張りの床、熱帯植物が周囲の環境にマッチしている。

左：象牙色の石の床が洗面台と鏡をしっかりと支えている、ウォークイン・タイプのバスルーム。床の石は敷地内で見つかった石灰石を粗く削ったもので、大理石のように半透明だ。洗面台には二本の木の柱があり、オランダ・コロニアルのボトルとのコントラストが美しい。浴槽にはカラフルな花々が浮かんでいる。

右ページ：この開放的なバスルームでは、様々な素材や色、形の融合を得意とするデザイナーの本領が存分に発揮された。優しい色の床タイルは、幾何学模様で整然としている。コーナーにレイアウトされた洗面台の横にはチーク材を使ったキャビネットがふたつ。両方とも建築家自身のデザインで、美しさと機能性を兼ね備えている。外側の石のゴツゴツとした触感と、設備類の仕上がりの滑らかさは見事なまでに対照的で、快適な空間に仕上がった。バス部分の写真は57ページを参照。

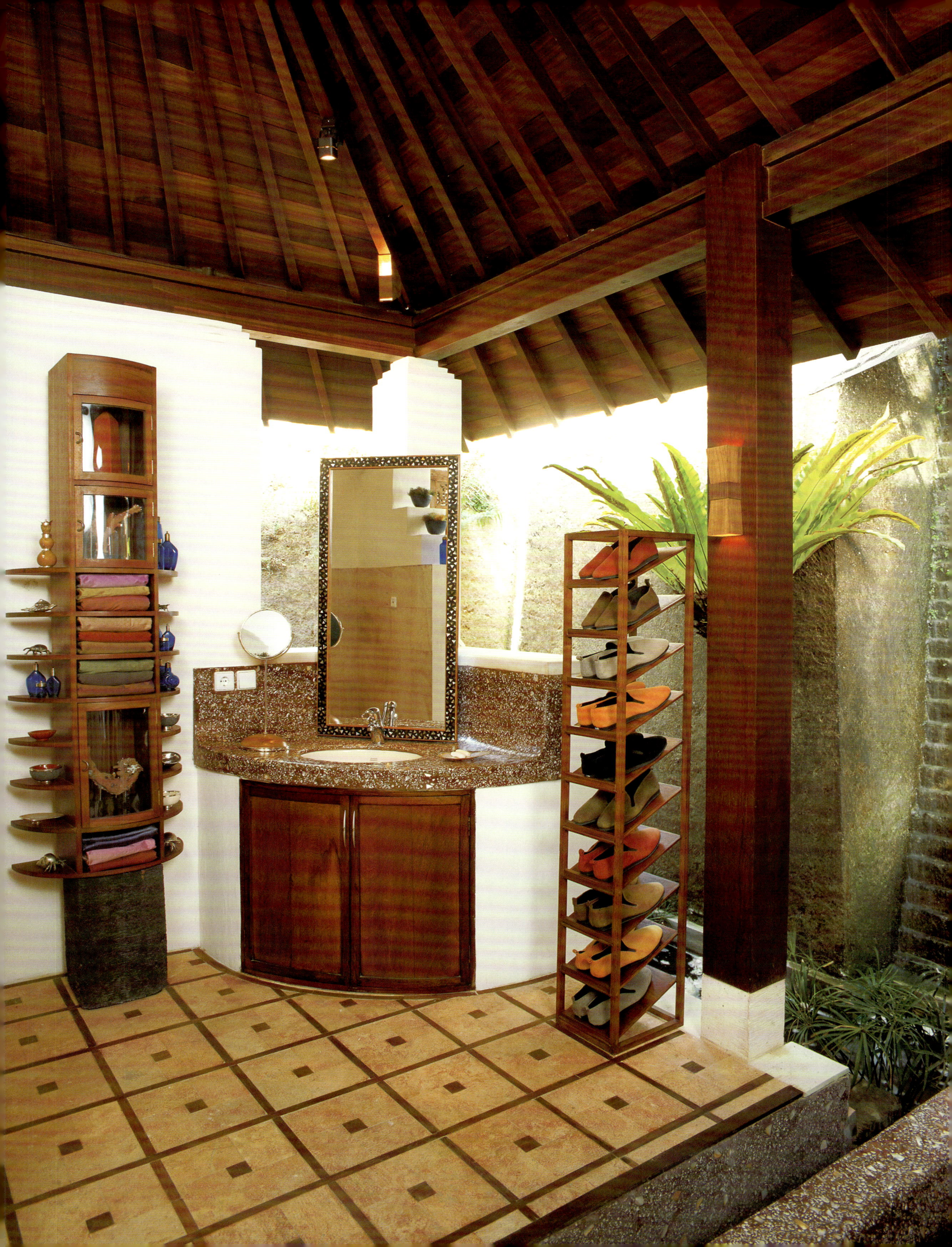

spanish delight in bali
バリの中のスペイン

レギャンにあるこの邸宅のオーナーは12年間バリで仕事をしているオーストリア人ファッションデザイナー、エディス・ジェスティスで、自らデザインや内装を担当した。スペインのコロニアル・スタイルを意識して、建物がパティオを取り囲むようにU字型になっている。小さな滝の向こう側にあるジョグロ屋根のパビリオンが、「U」の字を閉じるような位置に立っている。

外から見るとコンパクトに収まっているように見えるが、スペースは十分に生かされている。入り口にある「サンセット・ブリッジ」の緩やかな曲線は、屋根のシャープさとのコントラストが絶妙だ（写真左下）。正面にある小さな滝はパティオの入り口であり、穏やかなプライベート・オアシスへの入り口でもある。

パティオの主役はプールだ。つやのないグリーンの石製で、ヤシの木に囲まれている。プールの向こう側にはジョグロ屋根のパビリオンが堂々と構える。マドゥラ島に19世紀から伝わる王家のパビリオンを、現代風のゲストハウスにアレンジしたもので、広々としたリビングは快適そのものだ。プライベートスペース、パティオ、パビリオンにはムーア風の趣があり、「千夜一夜物語」を彷彿させる。

右ページ：ダイニングの一角を占拠するチーク材のダイニングテーブル。側面にはティモール人の浮き彫りがある。二本の足を台座が支えている造りがモダンだ。壁には革に描かれたイリアンジャヤ（インドネシアの東端）伝統の絵が掛かっている。

上：ヴィシュヌ神の像。

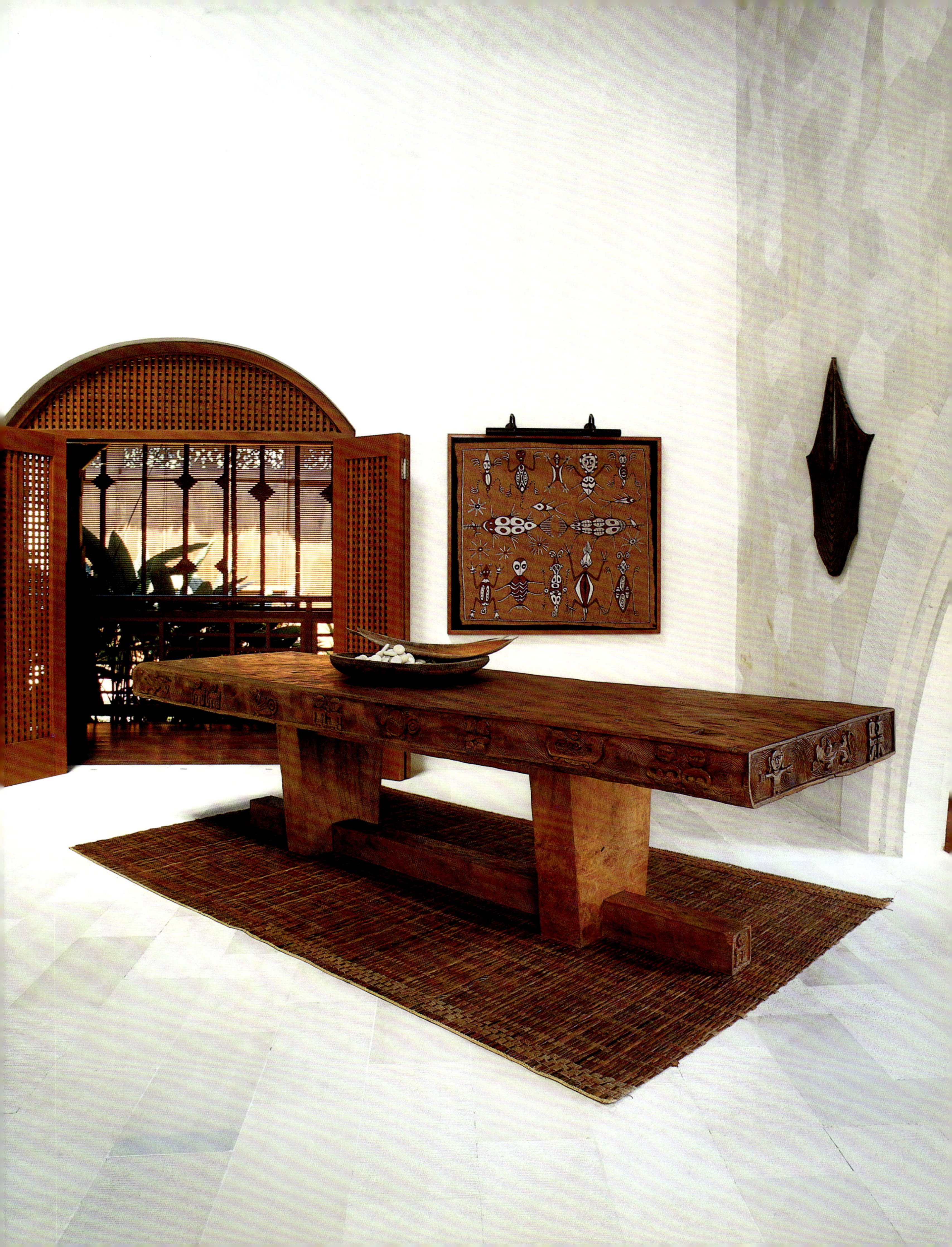

上：パティオから見るとT字型をしたプールは西向きなので、バリの夕暮れを存分に楽しむことが出来る。全体的にナチュラルな素材や色を使っていて、家自体は落ち着いた感じだ。ヤシの葉の色が映ったプールの水は緑色が美しく、小石や「サンセット・ブリッジ」の白さは、床のベンカライ材の茶色と互いに引き立て合っている。

右ページ：ベッドルームはメインハウスのラウンジと同じで、プライバシーが守られている。シルクの蚊帳地カーテンがココナッツの木で出来たベッドを優しく包む。深みのあるチーク材の床や高価なアフガン製のラグともピッタリだ。米の女神であるデウィ・スリの二つの像が静かに鎮座している。

64─65ページ：プールの端にあるリビングも開放的で、光がふんだんに入ってくる。床はパリマナン石で、籐のソファには黒いクッションと白い絹の枕を合わせた。ガラストップのテーブルは、イリアンジャヤのカヌーを台座にしたもので、上にはスンバ島製の置物が飾られている。

63

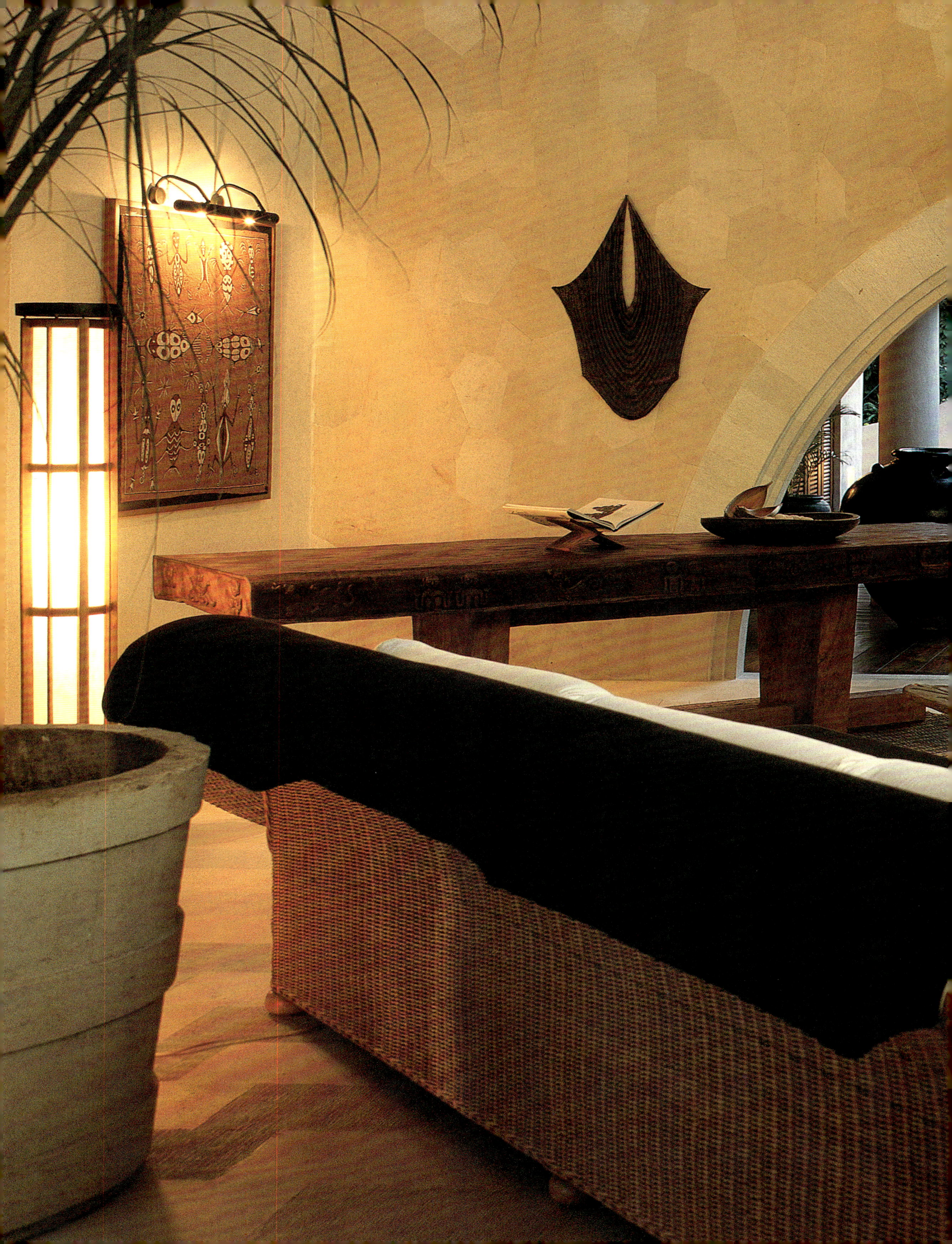

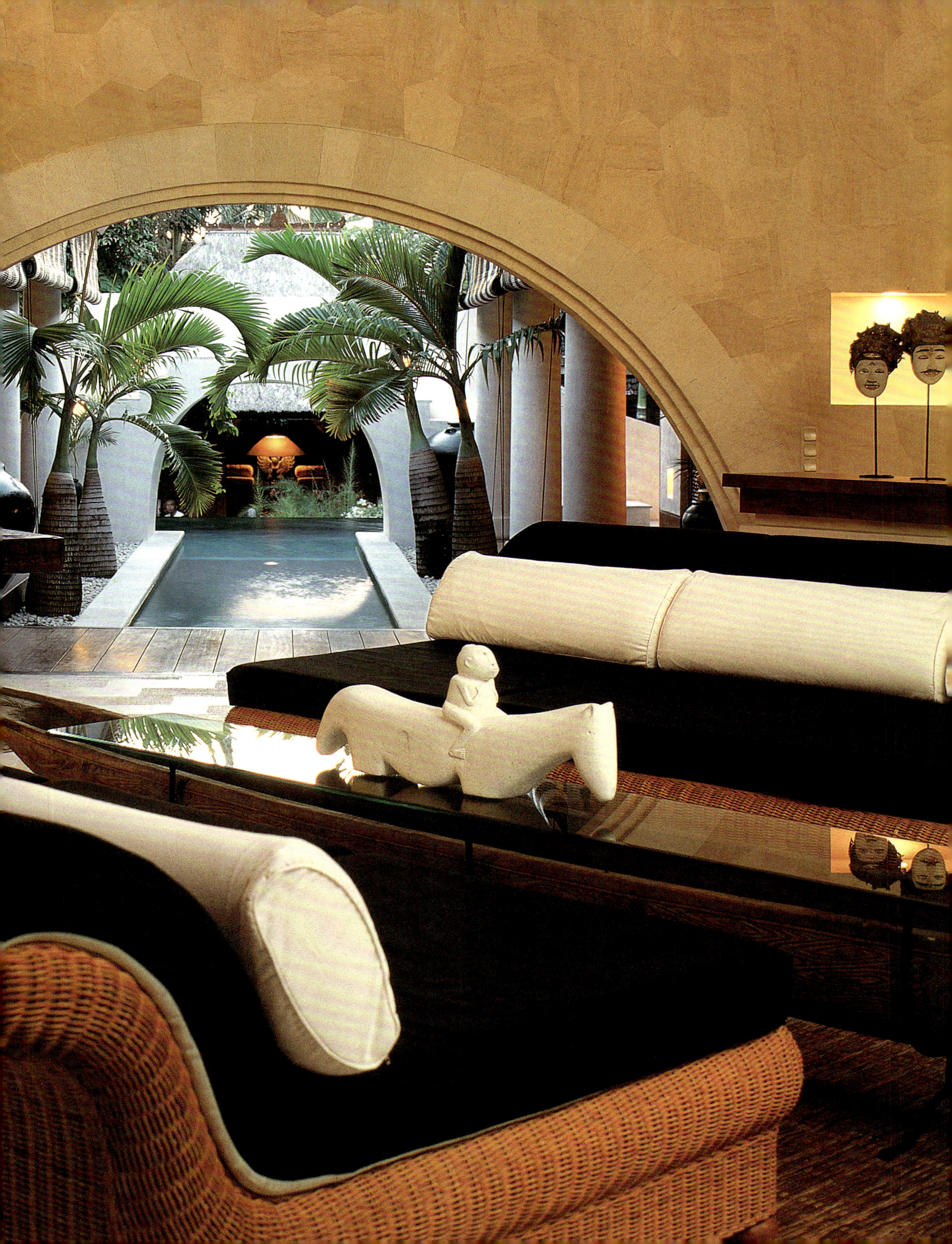

66 bali houses

左：メインハウスの小さなラウンジの一角。装飾は「千夜一夜物語」のイメージだ。シルクのカーテンがソファの台座になっている象牙色の大きなテラゾを優美に覆い、赤いビロードのマットとクッションは肌触りが心地良い。バリの伝統絵画であるイデル・イデルは日本の絵巻物のようで、ヒンドゥー教の神アルジュナの物語を描いている。壁のふたつの飾り棚にはロンタル椰子の葉に書かれた古文書が保管され、別の壁面には米の女神であるデウィ・スリが掲げられている。この像は、頭と手足は金箔を張った木製になっているが、その他の部分は中国の古銭で作られている。

上：白いパリマナン石の床、細かい凹凸のついた壁、アラン・アランの屋根が特徴的なバスルーム。外の雰囲気を味わいながら入浴が楽しめる。洗面台にはチーク材が使われ、貝の模様が施された。柔らかな光が鏡を照らしている。

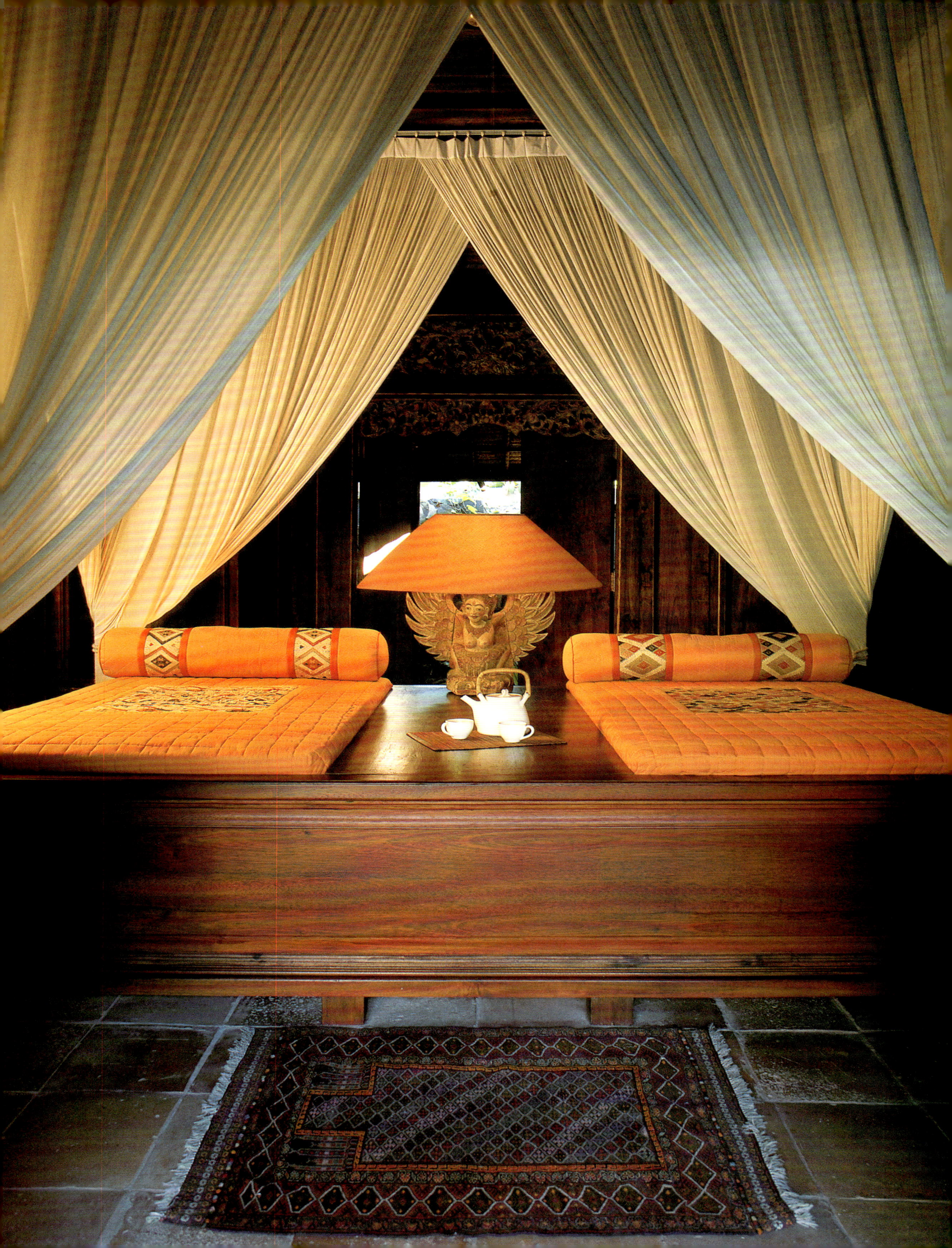

マドゥラ島に19世紀から伝わる王家のパビリオンを、現代風のゲストハウスにアレンジ。とても穏やかだ。天井から壁まで届く蚊帳地のカーテンがベッドを包み込み、ラオス・アンティークの装飾品がアクセントになっている。パキスタン製のカーペットは手触りが素晴らしい。バリで繁栄の女神とされているセンディーの像がランプの台座となって枕元に鎮座し、この部屋と住人を見守っている。

a quiet haven
森閑たる楽園

ウブドから北へ5kmほど行ったウォス川の渓谷沿いにあるこのヴィラは、オランダ人建築家ユースト・フォン・グリーケンの設計だ。ゆっくりとリフレッシュをしたり、友人を招いたりするために建てられた。エクステリアの個性をインテリアのデザインに生かして統一感を持たせたことで、くつろげる雰囲気になっている。しっかりとした強さがあるエクステリアが周りの風景に溶け込む一方、シンプルかつ機能的なインテリアには、バリらしい色使いや工芸品が取り入れられた。

　素材を厳選したことで、グリーケンはこの邸宅を洗練されたものにした。屋根はロンボク島産の草をふいているが、骨組みにはベンカライ木材を使用している。これはドアや窓の取り付けや、建物を支えている八角形の柱に使っているものと同じで、その柱の土台になっているのはジャワ島産の白石材だ。さらに象牙色でつやのあるセメントタイルを特注し、すべてのパビリオンに使用したことで全体がまとまっている。塀はクリーム色のジャワ島産の砂岩、もしくはカントン・グリーンかトスカーナ・テラコッタ色の漆喰で仕上げられ、彩りとなった。

敷地内には、おしゃべりや景色を楽みながらリラックス出来る場所がたくさんある。広々としてきれいなダイニングはちょっとした集まりに最適だ。そこから続くラウンジでは、庭と渓谷がよく見える。長い廊下（右ページ）はブラウジングコーナーと寝室をつないでいるが、西向きの休憩スペースにも出られる。ここで夕陽や月を眺めながらゆっくりとお酒を楽しむのは、至福の時だ。

上：長方形の白い石板が橋となって、ダイニングとラウンジを結ぶ。
左：悪霊除けとされるバリ特有のアリン・アリンの壁が、入り口でゲストを迎える。

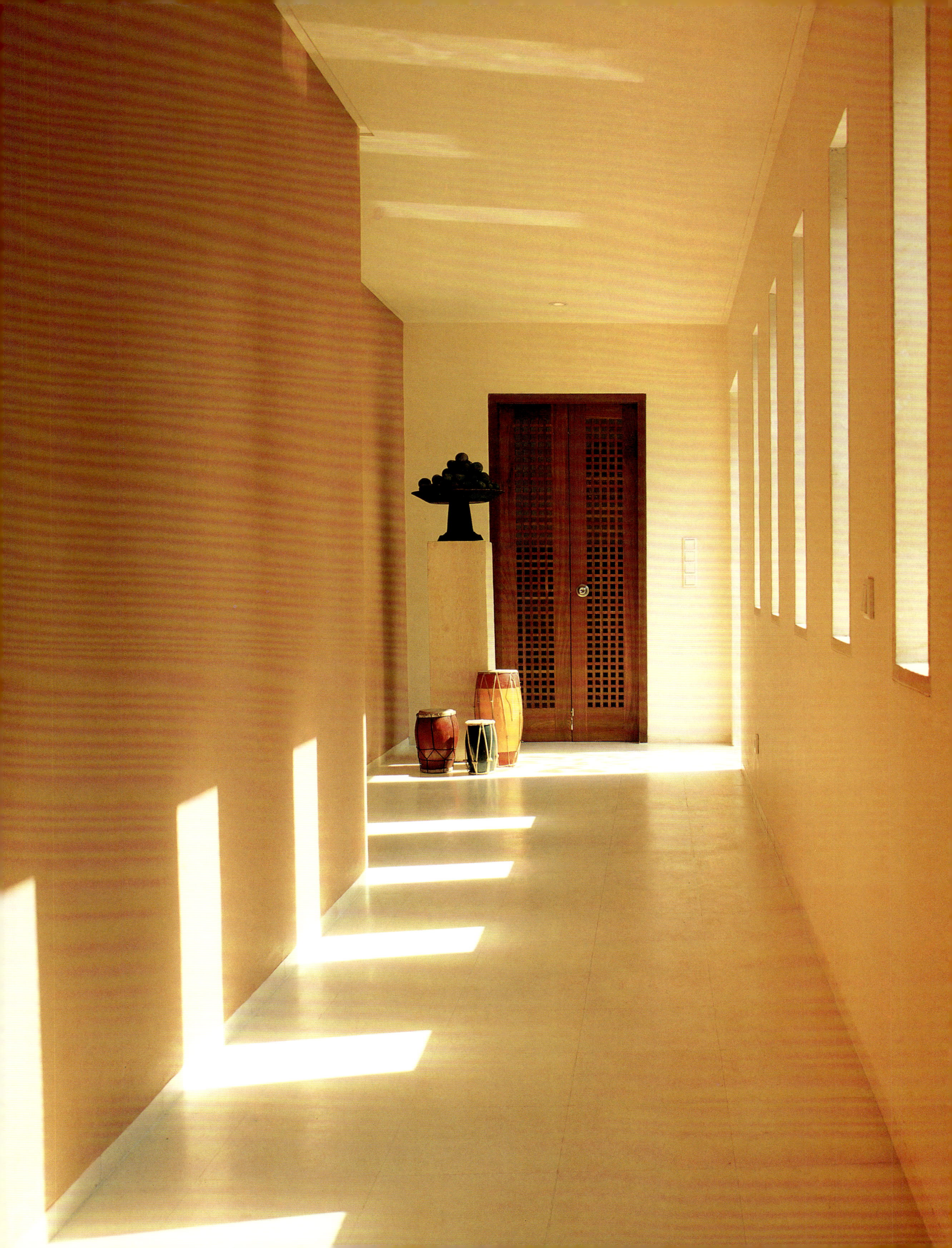

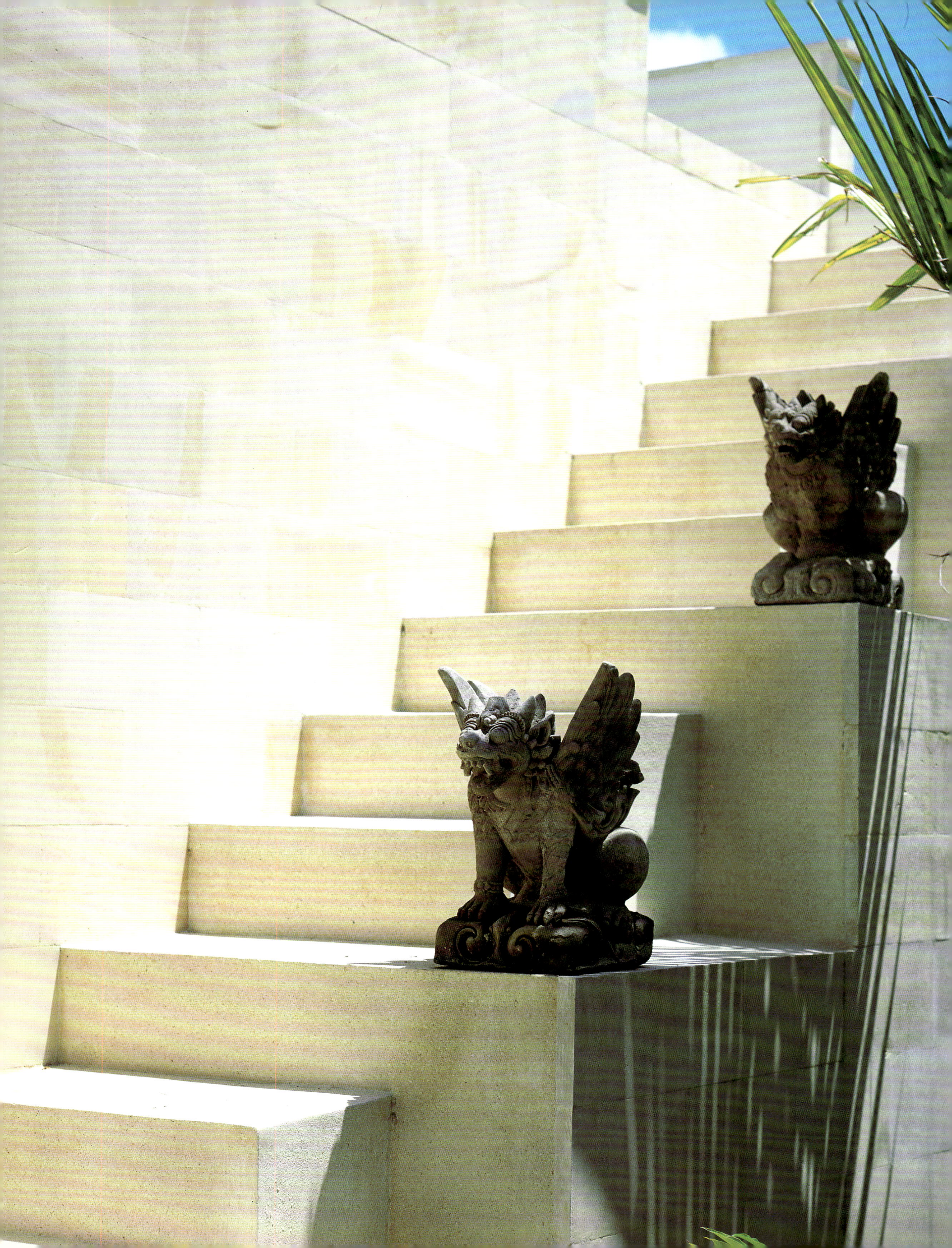

左：すっきりとしてスマートな階段は渓谷が見渡せる屋上につながる。インドネシアの国章であるガルーダ（大鳥）の像が見守る。

上：伝統的な藁ぶき屋根を持つダイニング。チーク材の一枚板をウォノソボ産の石が支えるテーブルが目を引く。石壁の向こうは長い廊下で、ギャラリーとプライベートスペースにつながっている。

右：リビングとベッドルームの間にある西向きのブラウジングコーナーにはソファーベッドがあり、ゆったりとくつろぐことが出来る。

上：カントン・グリーンが印象的なベッドルーム。形、色、素材など様々な面で、モダンとクラシックがうまく釣り合っている。たとえば、コーナーにある緑のパーティションの曲線と正方形のベッドを支える黒い石の台座のシャープさとのコントラストは見事の一言だ。この壁の向こうには化粧室があり、さらにはバスルームへもつながっている（右ページ）。枕元にはキャンドルホルダーやカリマンタン製の織物などが飾られ、ベッドサイドに置かれたインド製の古いトランクはレトロな優しさを醸し出している。

右ページ：ビビッドなカントン・グリーンの壁と同系色の楕円形バスタブ。サイドにあるジョグジャカルタ産の石壁と、足元に敷き詰められた石やその上のステップの色はナチュラルで、開放的だ。茶色の中国製の壺に生けられた熱帯植物がとても良いアクセントになっている。

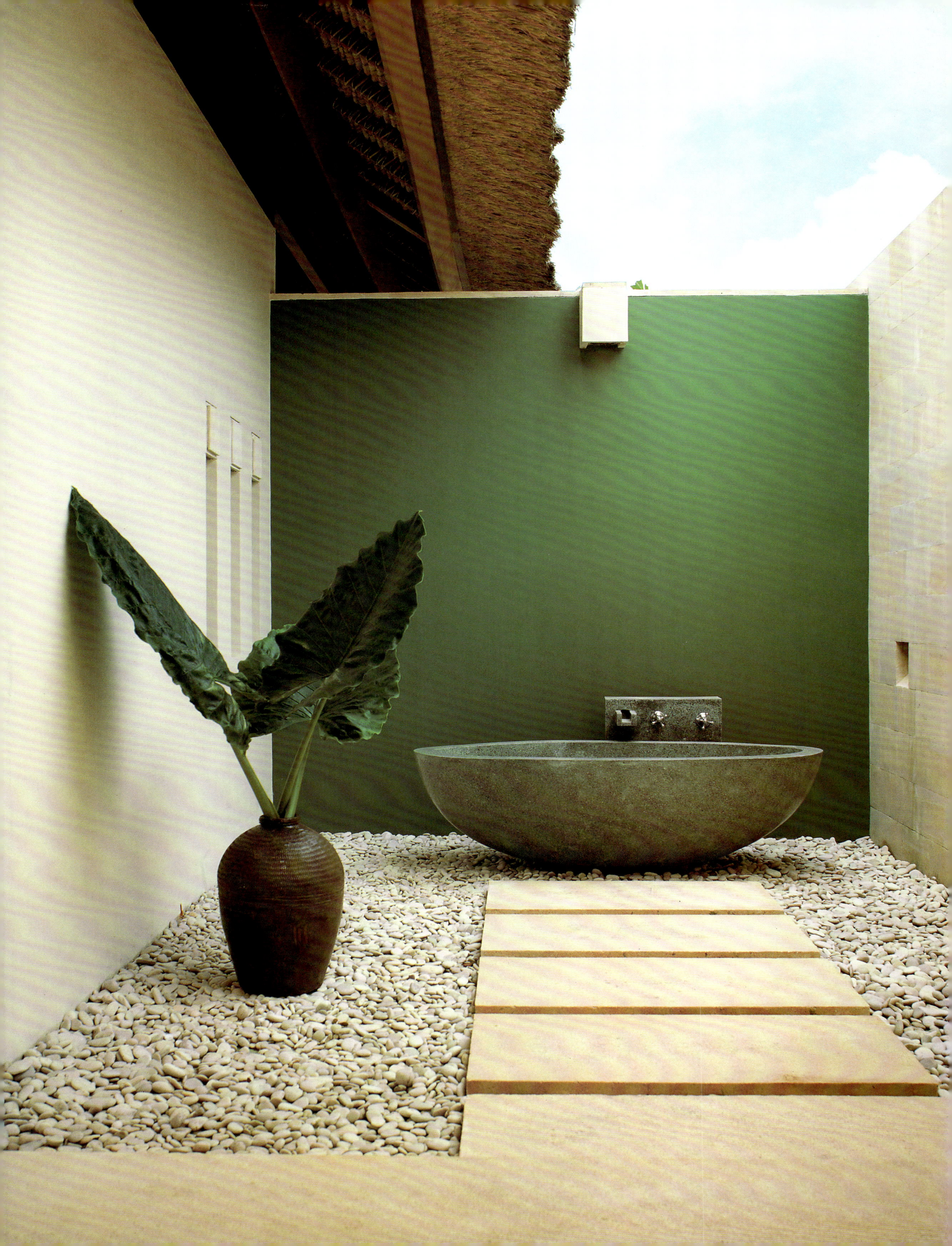

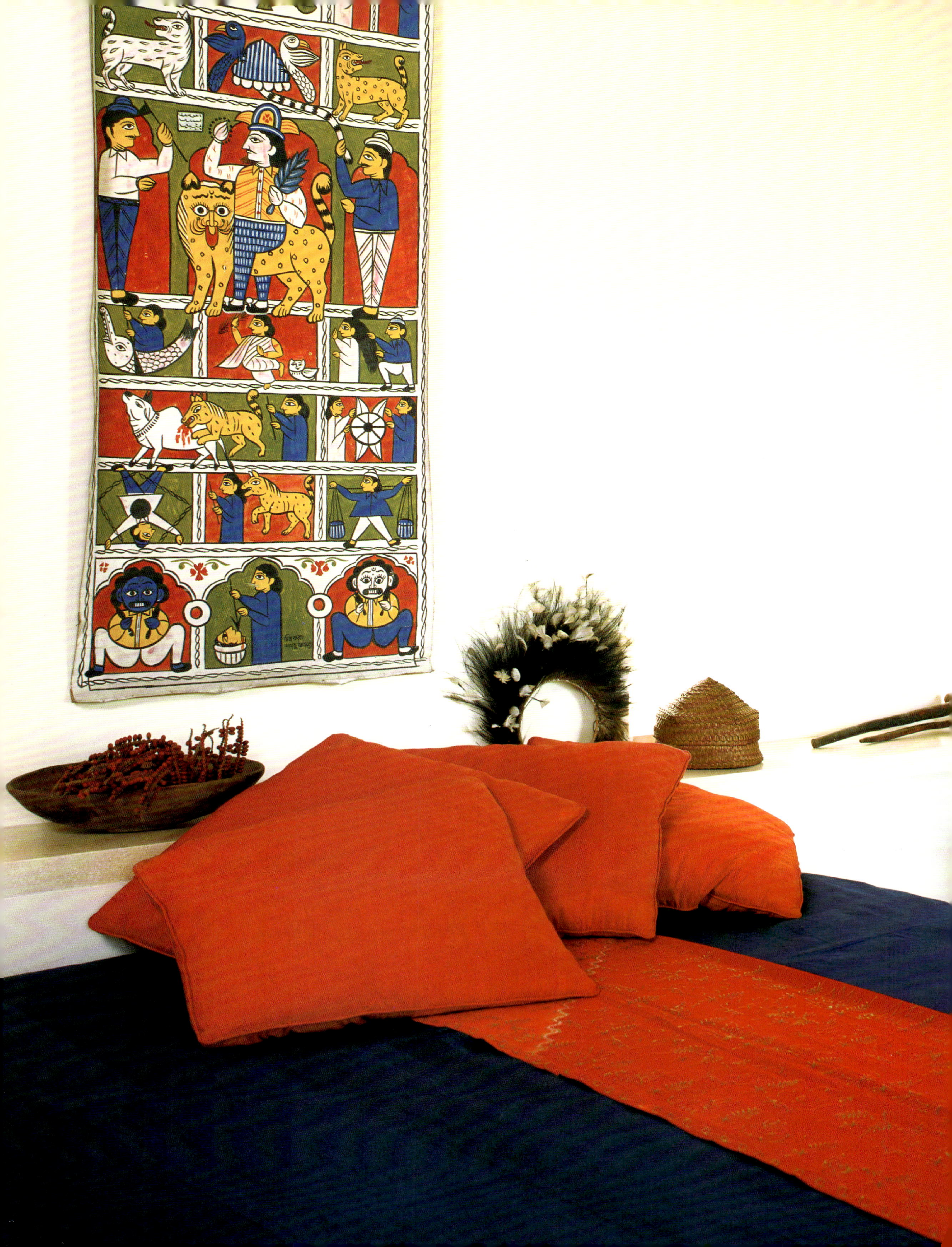

け布とクッションが、ナチュラル
な砂壁に映える。エスニック調の
壁掛けと、イリアンジャヤの工芸
品が全体を引き締めている。

シンプルな家具が置かれたスタイ
リッシュなベッドルーム。ロイヤ
ルブルーのベッドカバーや赤い掛
け布とクッションが、ナチュラル
な砂壁に映える。エスニック調の
壁掛けと、イリアンジャヤの工芸
品が全体を引き締めている。

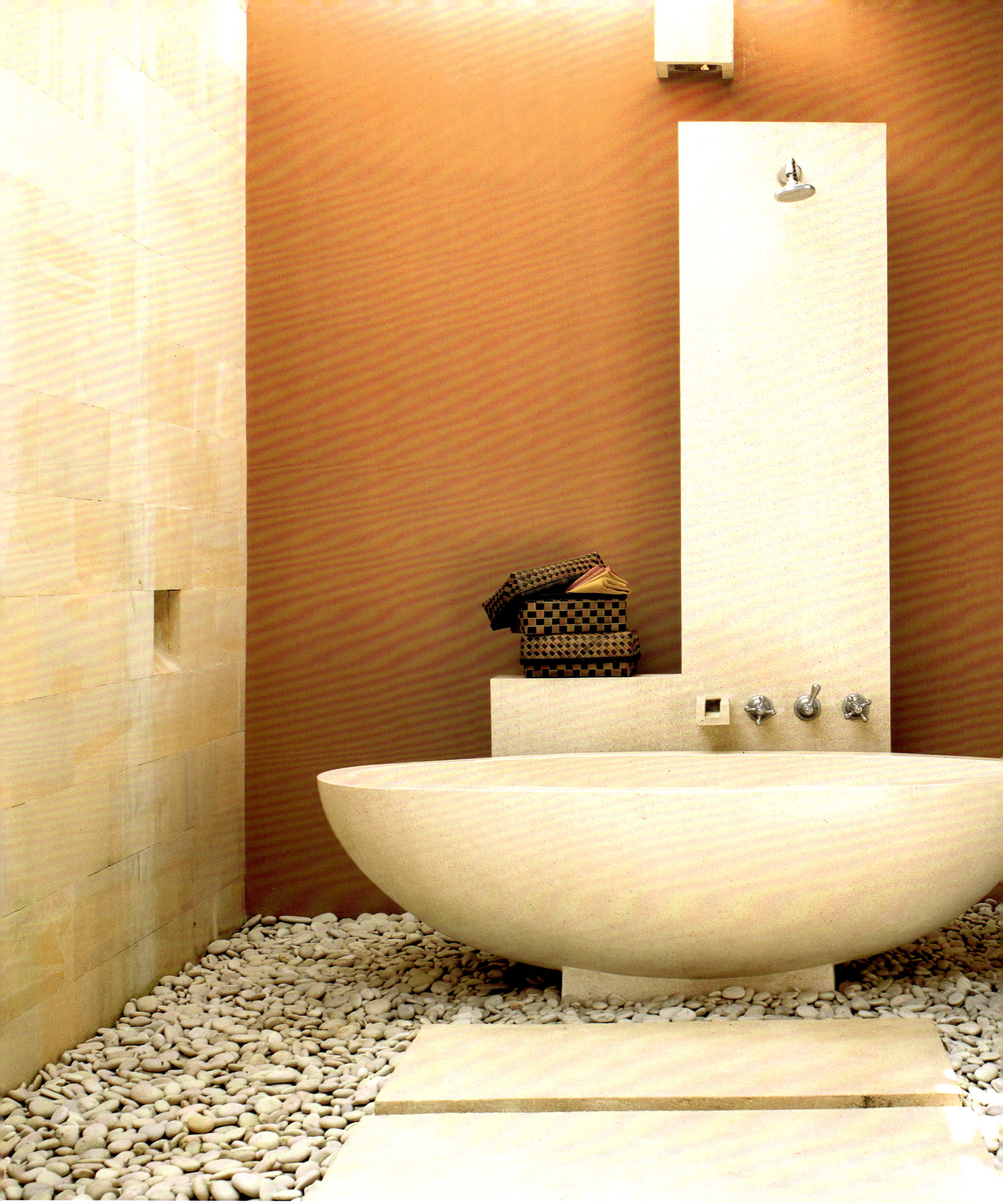

上：シンプルなラウンドの洗面ボールが、彫刻のように角張った洗面台とコントラストを成す。緑に黒の模様のあるテラゾは、アイボリーの後壁とも調和している。

左：開放的なパティオに備えられたバスルーム。トスカーナ産テラコッタを用いた壁、シャワーを取り付けた長方形の石壁、小石と砂岩の上にあしらわれた楕円形のテラゾのバスタブなど、どれもセンスが良い。柔らかな雰囲気の籐製バスケットがふたつ、バランス良く置かれている。

timeless splendour
時空を超えて

チャングにあるこの邸宅には、大きな庭のあるL字型のメインハウスと、離れになったゲストハウスがある。正面玄関は、藁ぶき屋根と地元産の白石灰石で造られた仕切り壁が特徴だ（写真下）。このシンプルな玄関からは想像出来ないが、内部はとてもスタイリッシュで、クラシックとモダンのコンビネーションが素晴らしい。庭の芝生は美しく手入れされ、大きなヤシの木が織り成す光と影が美しい（写真上）。

家の中は、アートに造詣が深い日本人オーナーの趣味が存分に生かされた。壁全体を漆喰で仕上げ、光沢のあるタイルを使ったことで、全体に広々としている。華美な装飾はないが、原始美術、無機的な彫刻、モダンアート、コロニアルなアクセサリーなどの一点一点にオーナーのセンスが光る。ギャラリーのような趣がある一方で家庭的な匂いもする、心地の良い空間だ。

左：田舎の風情が漂う玄関。この先にどんな世界が広がっているかは誰にも想像は出来ないだろう。

右ページ：白いパリマナン石を敷いたパティオには地元出身アーティストの作品が飾られている。椅子とオベリスク（先の尖った塔）はチーク材製で、手前にあるブルーのガラスオブジェはセイキ・トリゲ作。

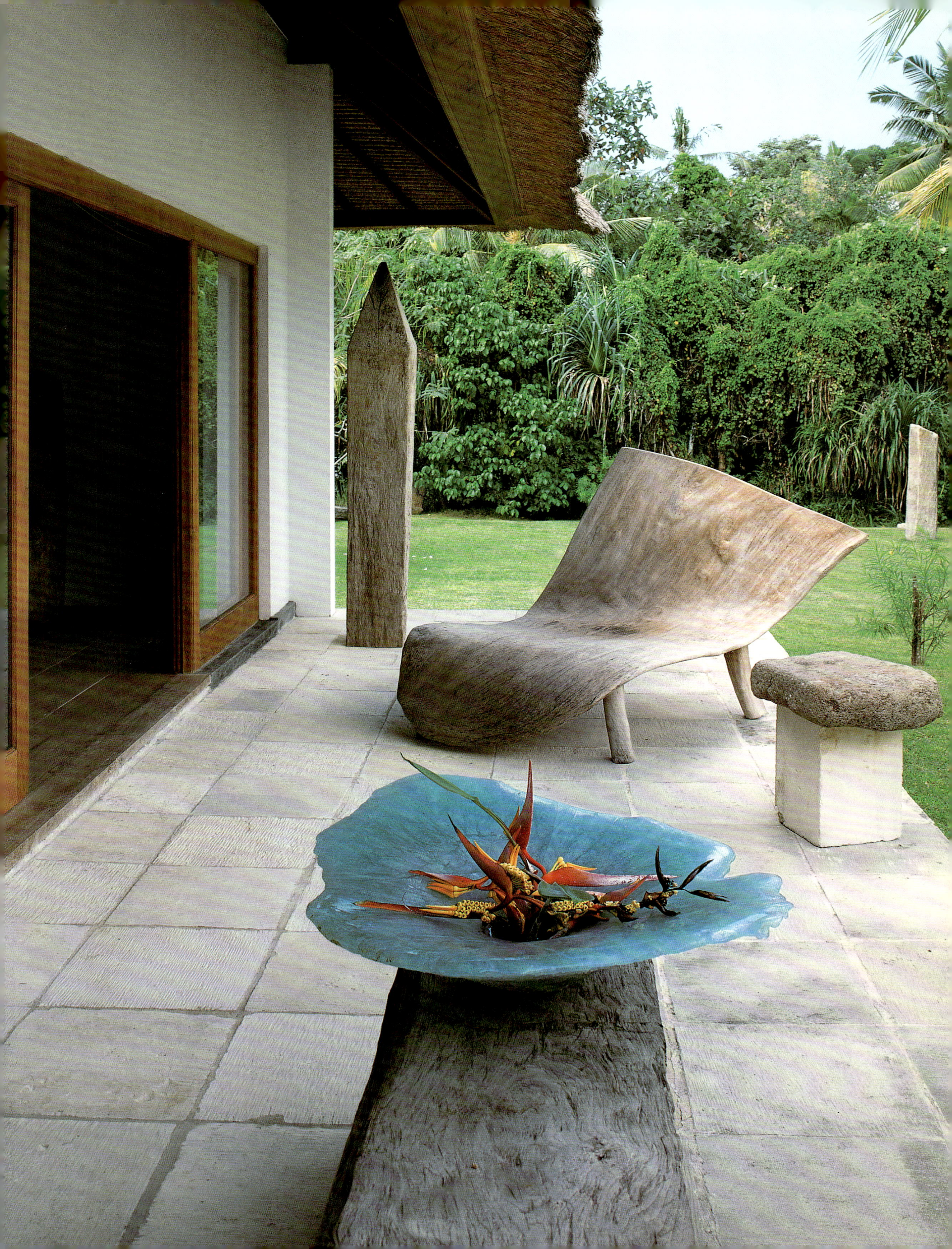

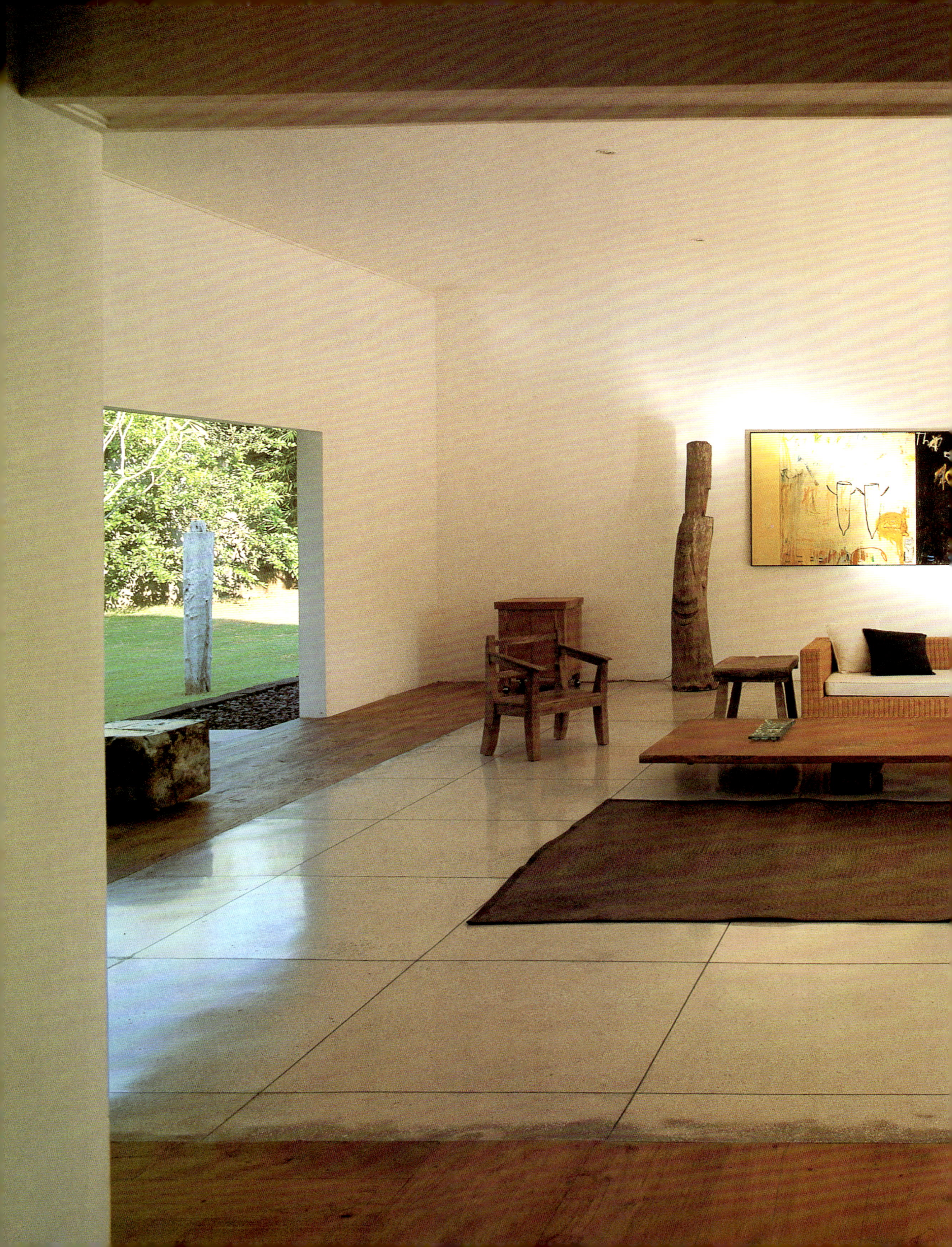

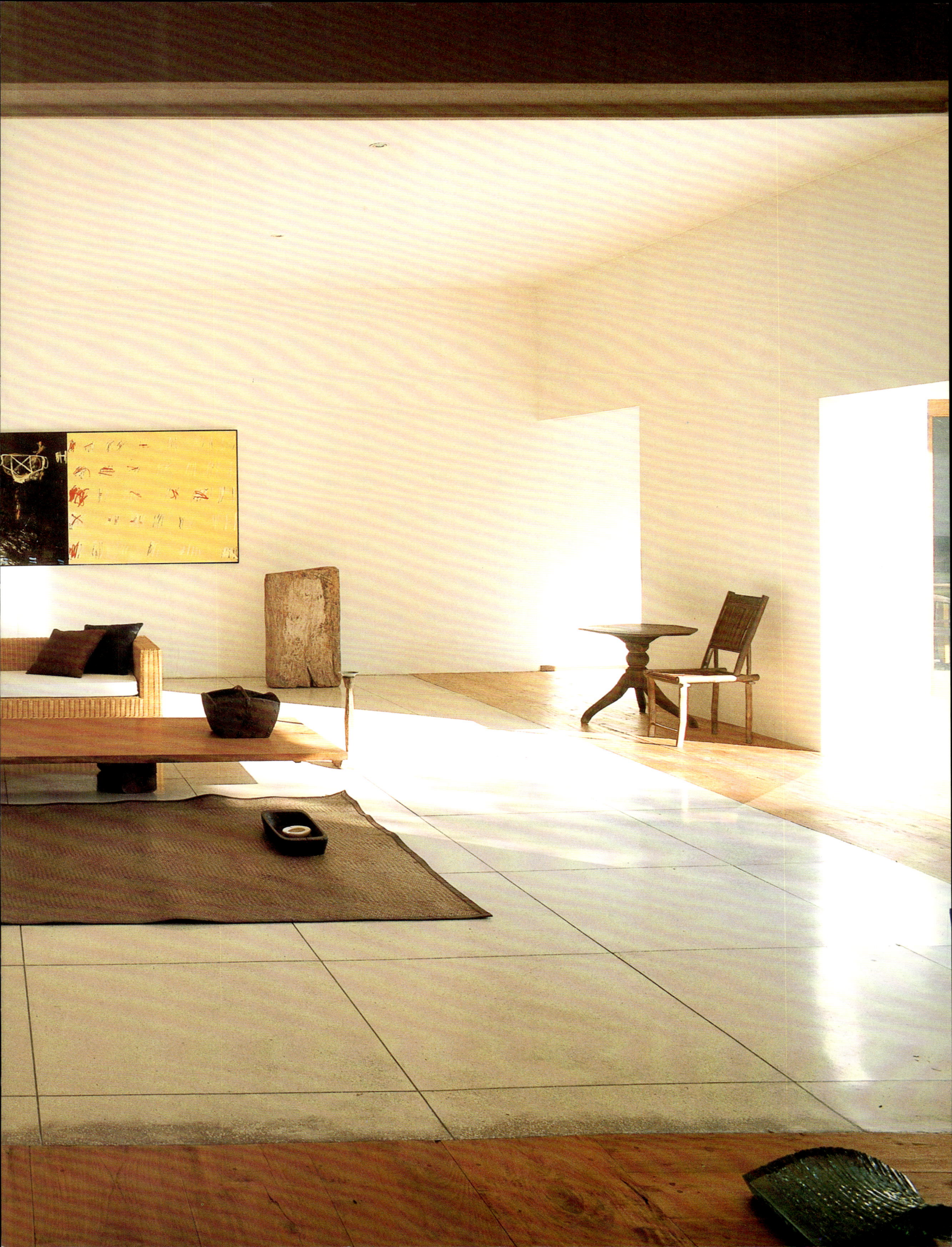

前ページ（4、10ページも参照）：ゲストハウスのリビングルームは白い壁と床にあしらった自然素材が特徴だ。ソフトシルクのクッションを置いた籐のソファ、チーク材のローテーブル、アンティークの椅子、ボルネオ製のマット、壁に掛けられた絵のどれもが洗練されていて、ギャラリーのようになっている。庭へ通じるオープンな出入り口が、開放感を生んでいる。

上：庭へ通じる入り口には日本の禅のような厳粛さがある。まだら模様になったパラス石の壁は、方形の黒い石が並んだ床と対照的だ。風合いを持たせたチーク材で作った扉は、アルミ製の取っ手をつけてモダンで斬新になった。

右：広々として明るいメインハウスのリビング。床と壁の白さにアンティークとモダンアートが溶け込む。中央を飾るローテーブルは、一枚板をアンティークな台座で支えている。その周りには、オランダ・コロニアルのソファーベッド（写真手前）、チーク材の一枚板の長椅子、ジャワ・アンティークのベンチ（写真左奥）が配されている。チーク材のアンティークの扉の隣には、流線型のステンレス製の足が特徴的な小さなテーブルがあり、古い石像が飾られている。壁に掛けられた現代絵画が全体の空気を引き締めている。

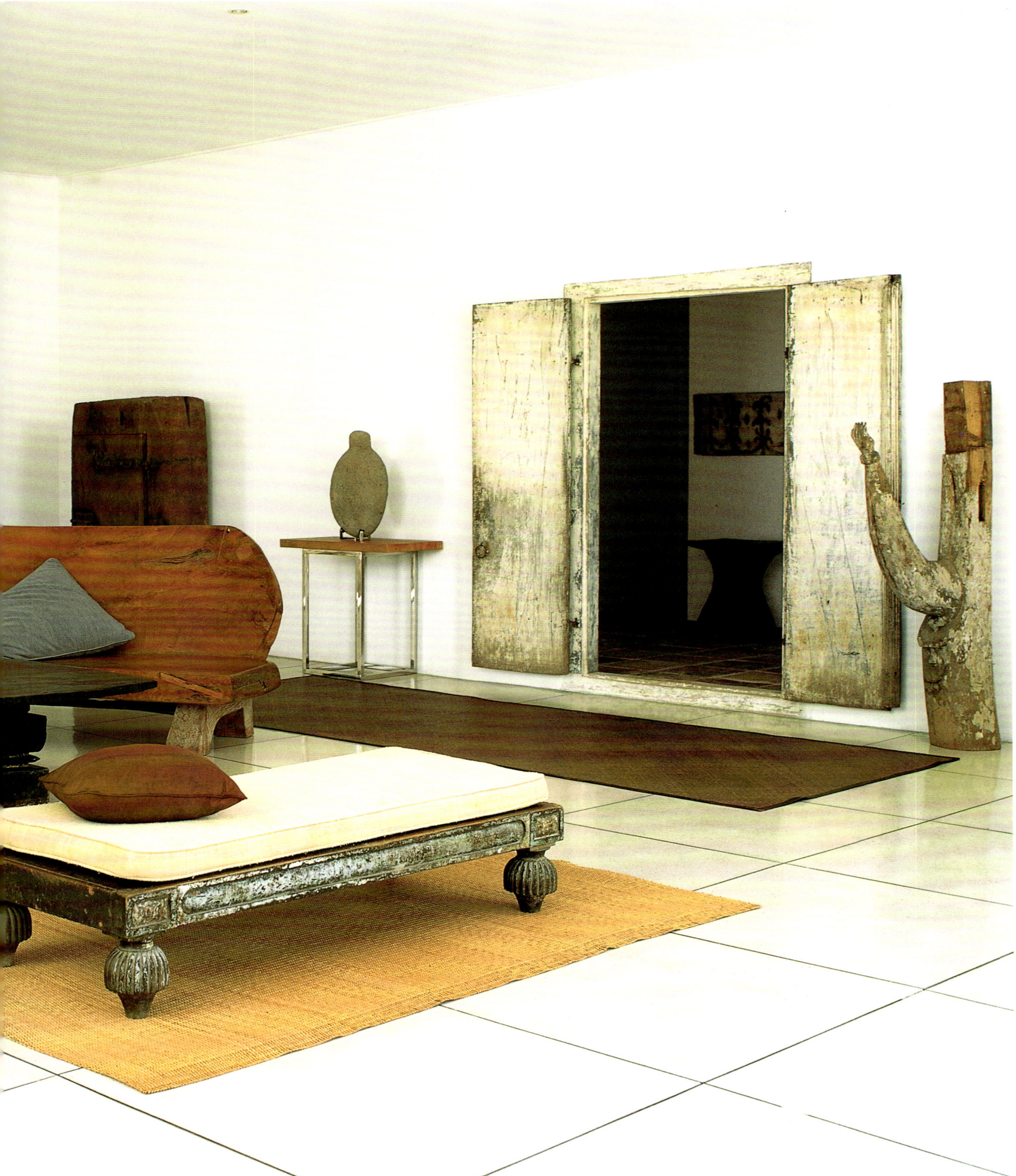

上：庭からの入り口を抜けるとこのホールがある。ここは「展示スペース」になっていて、白い壁とテラコッタの床に、モダンさとシンプルさを兼ね備えたエスニック調の作品がセンス良くレイアウトされている。壁に掛けられた絵の横にあるのは古代ボルネオ時代の像と、石のオブジェだ。低めのテーブルを挟んで素朴な木の椅子が置かれ、左手には色々なシンボルが彫られた古代ティモールのドア・パネルが飾られている。

右ページ：メインルームのリビングの一角。白い壁と床は、柔らかく深みのある天然チークにピッタリだ。象牙色の台座をつけた「展示台」には原始美術のオブジェふたつが、モダンアートの両隣になるように置かれている。手前にあるのはステンレスとの組み合わせが新鮮なテーブルで、下にはボルネオ製のマットが敷かれている。

88–89ページ：ゲストハウスはメインハウスから十分な距離を取って建てられた。この寝室も他のスペースと同様に明るくて広々としている。中国式のベッドには薄いマットレスが敷かれ、白い布、シルクのクッション、ランプがアクセントになっている。ベッドサイドにはコロニアル・スタイルの木製テーブル、オリエンタル調の椅子、レトロな椅子が置かれ、赤い正方形のカーペットと壁のモダンアートにピッタリと合っている。

87

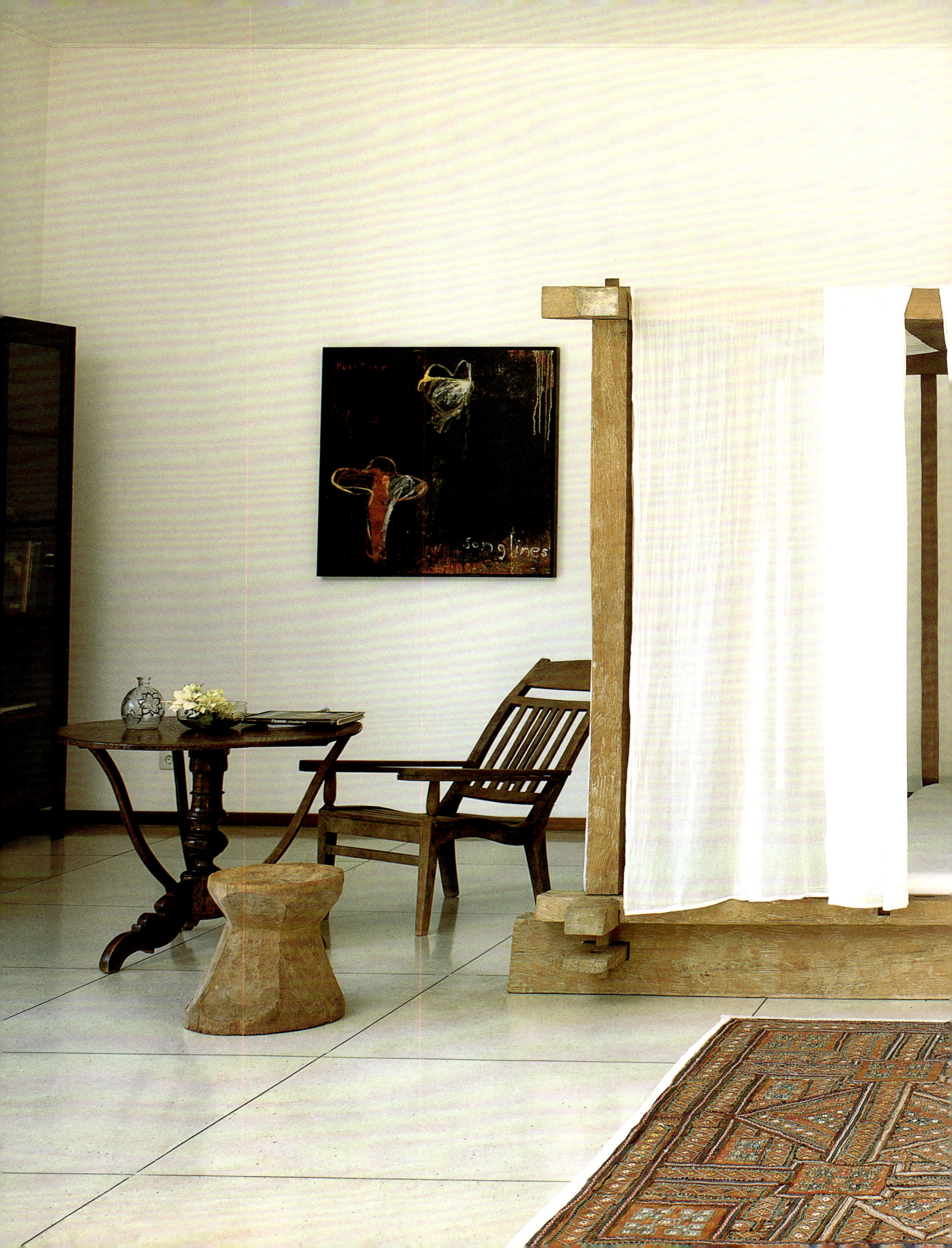
songlines

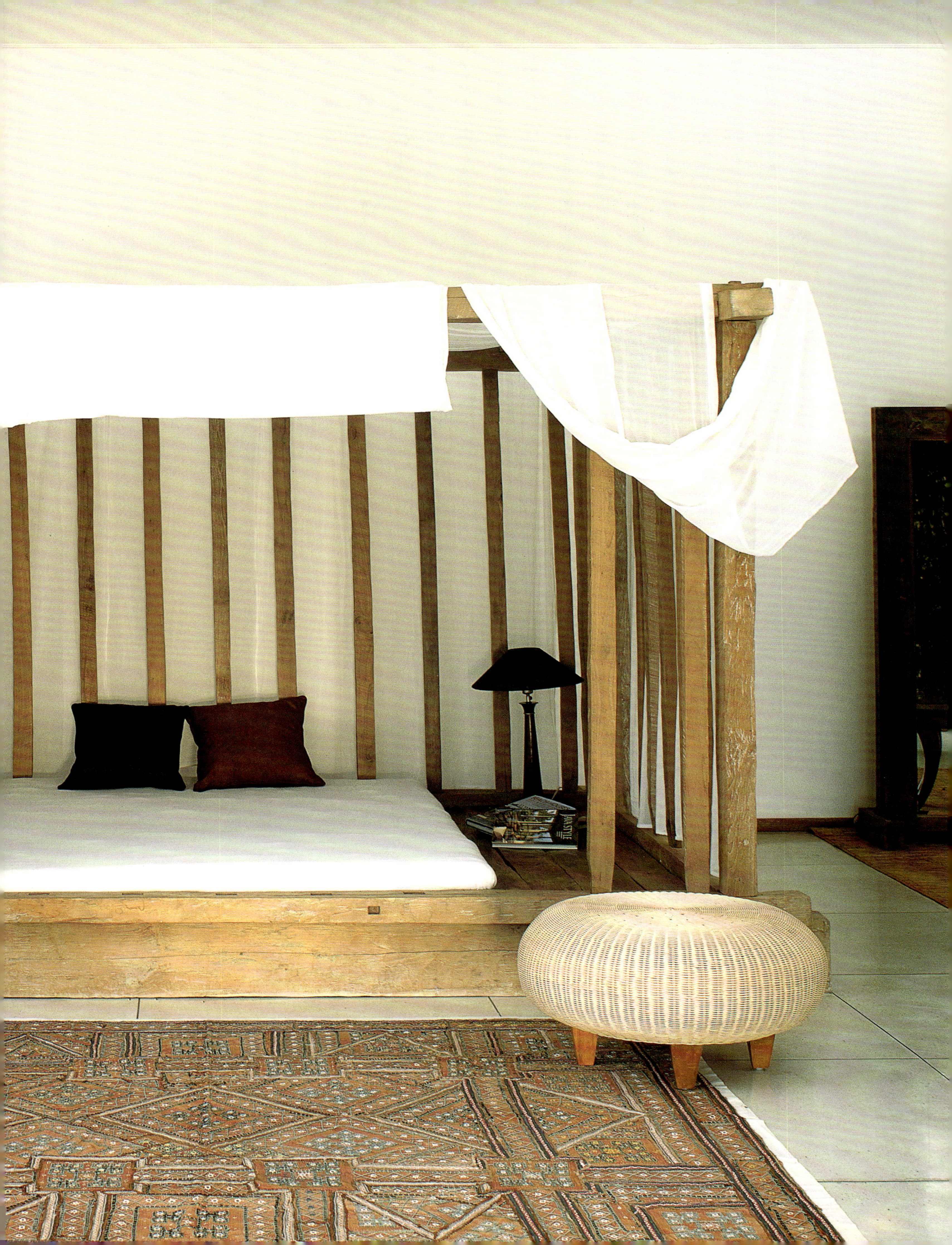

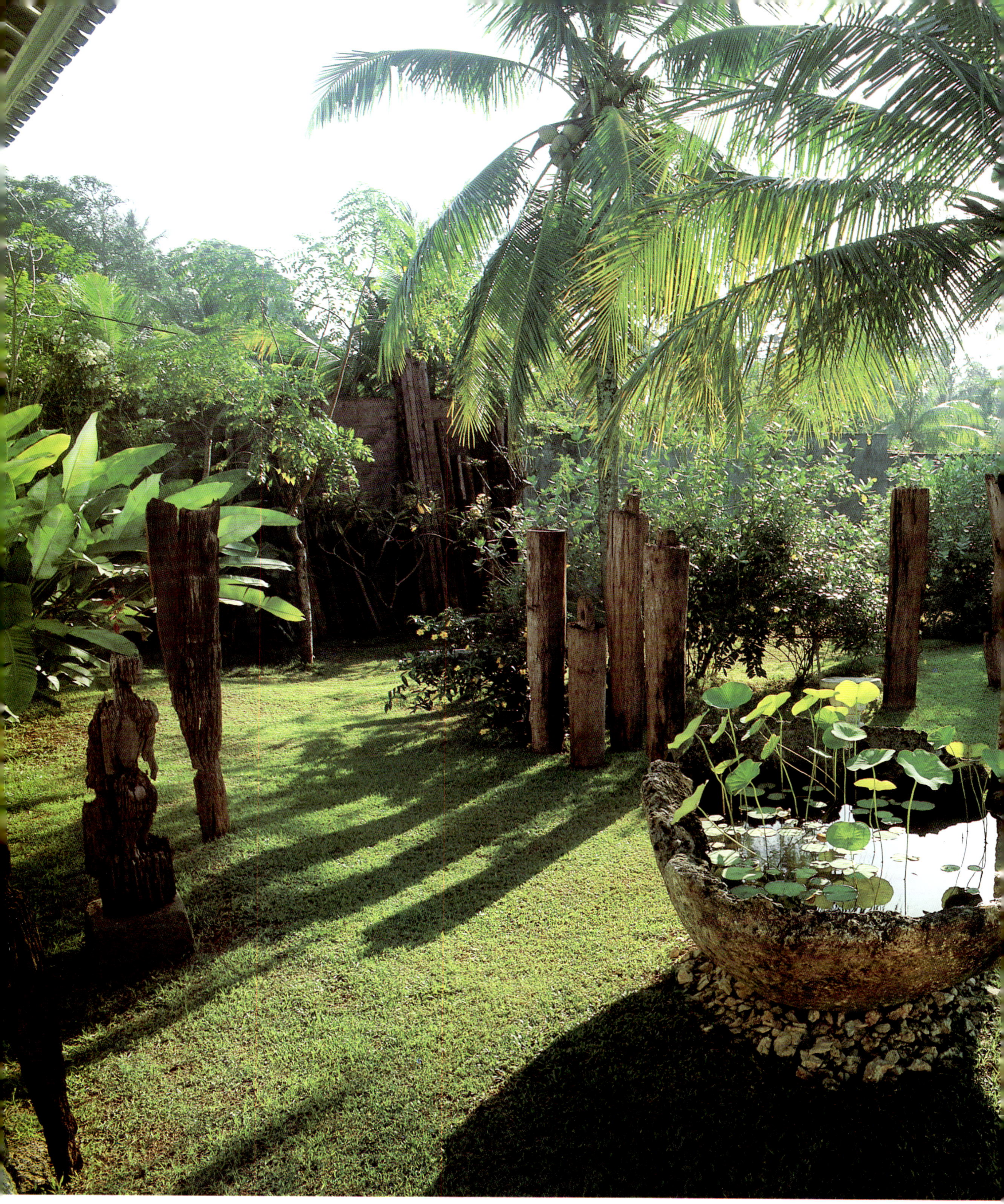

左:美しい芝生にヤシの木が光と影を映し出す。この庭にもアートが生きている。手前にある水を張った石は、元々は染色に使っていたものを池のようにアレンジしたものである。

下:この庭は古い木や石のアートを置くのに最高だ。まるで初めからそこにあったかのように見える。明るさと開放感に満ちたこの庭では、年月を経た美術品たちも違和感を覚えないのだろう。

the persistence of memory
太古の記憶

チャングのブラワ海岸地区にある二階建てのこの邸宅は水田地帯の真ん中にあり、すべてチークの古木を用いて建てられた。オーナーであるオーリア氏はインドネシアのスマトラ出身だが、20年以上バリに住んでいる。この家は自らの設計によるもの。

　彼はインドネシア美術の愛好家であったので、国中から集めたコレクションを装飾に利用した。たとえば古代のマイル標石（写真上）などである。これらの原始美術品を見ていると昔に思いが及ぶだけでなく、自然界の循環についても考えさせられる。過去の現実と、現在の解釈。それはクラシックとモダンのように常に共存するのだ。

入り口は独特の雰囲気だ（写真左）。年代物の羽目板を同じく年代物の木柱が支え、そこをくぐると木々が迎えてくれる。シンプルな木製のフェンスが敷地を取り囲んでおり、進んでいくと石と木があしらわれた玄関に到着する。スンバ島産の石は魔よけのアリン・アリンの壁に見立てた。家の中には数々の美術品が展示されている。

右ページ：メインハウスからの眺め。オーナーのこだわりと独創性に満ちている。中央の池が目を引くが、周囲に置かれた石製の水入れは飲料用と洗濯用だ。ランダムに配された原始美術品は、離れの建物や周りの自然と共存している。

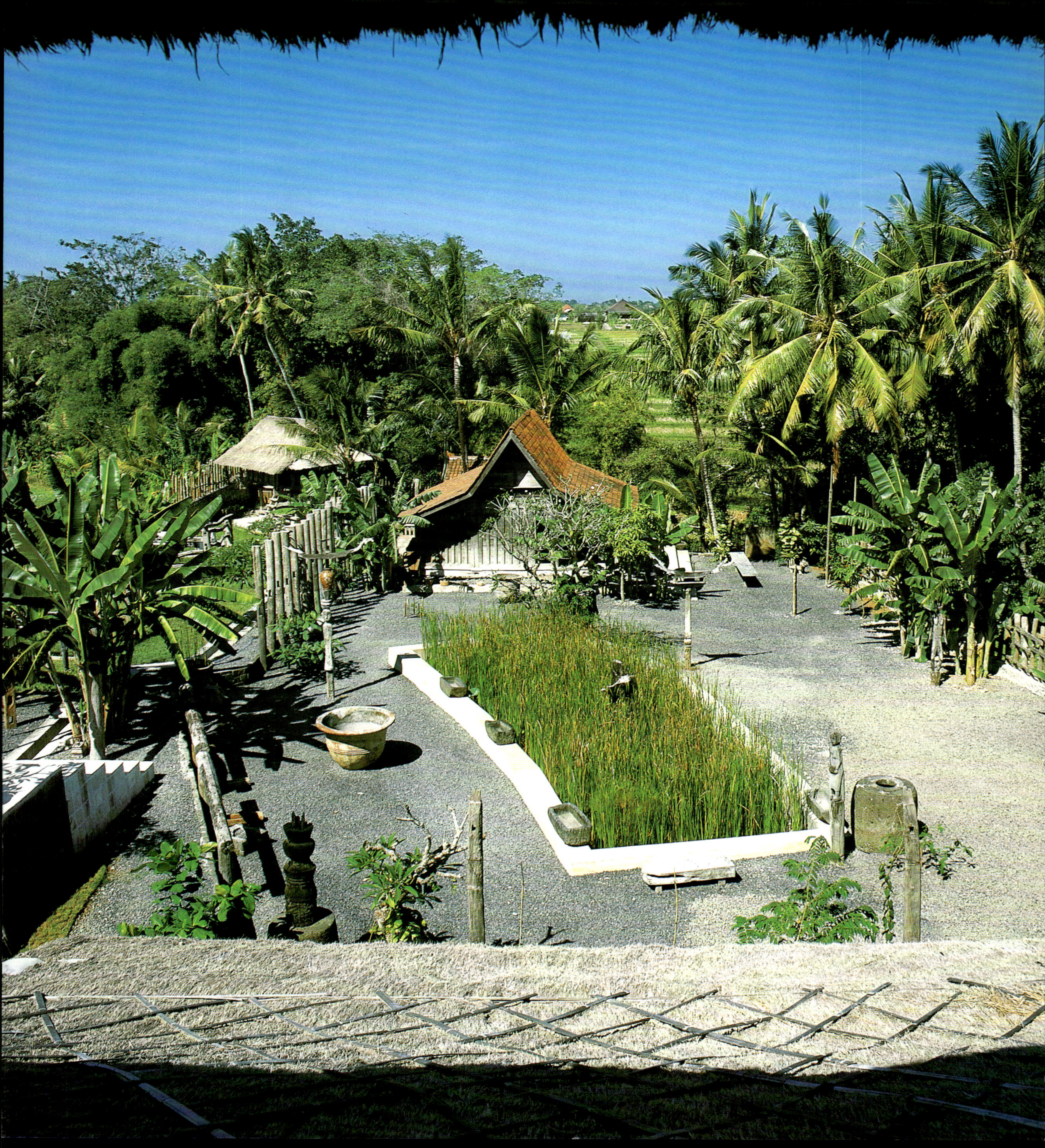

下：ニアス島産の原始美術品である石椅子（手前）とチーク材の角柱。レイアウトが絶妙だ。

一番下：入り口はチークの古木の扉で、周りはグリーンの石が囲んでいる。スンバ島産の石がアリン・アリンの壁になっている。

右：リビング、ダイニングを兼ねるオープンスペース。ダイニングテーブルに並べられたジェンガラ・ケラミック社のディナーセットが、素朴な雰囲気を引き締めて洗練させている。

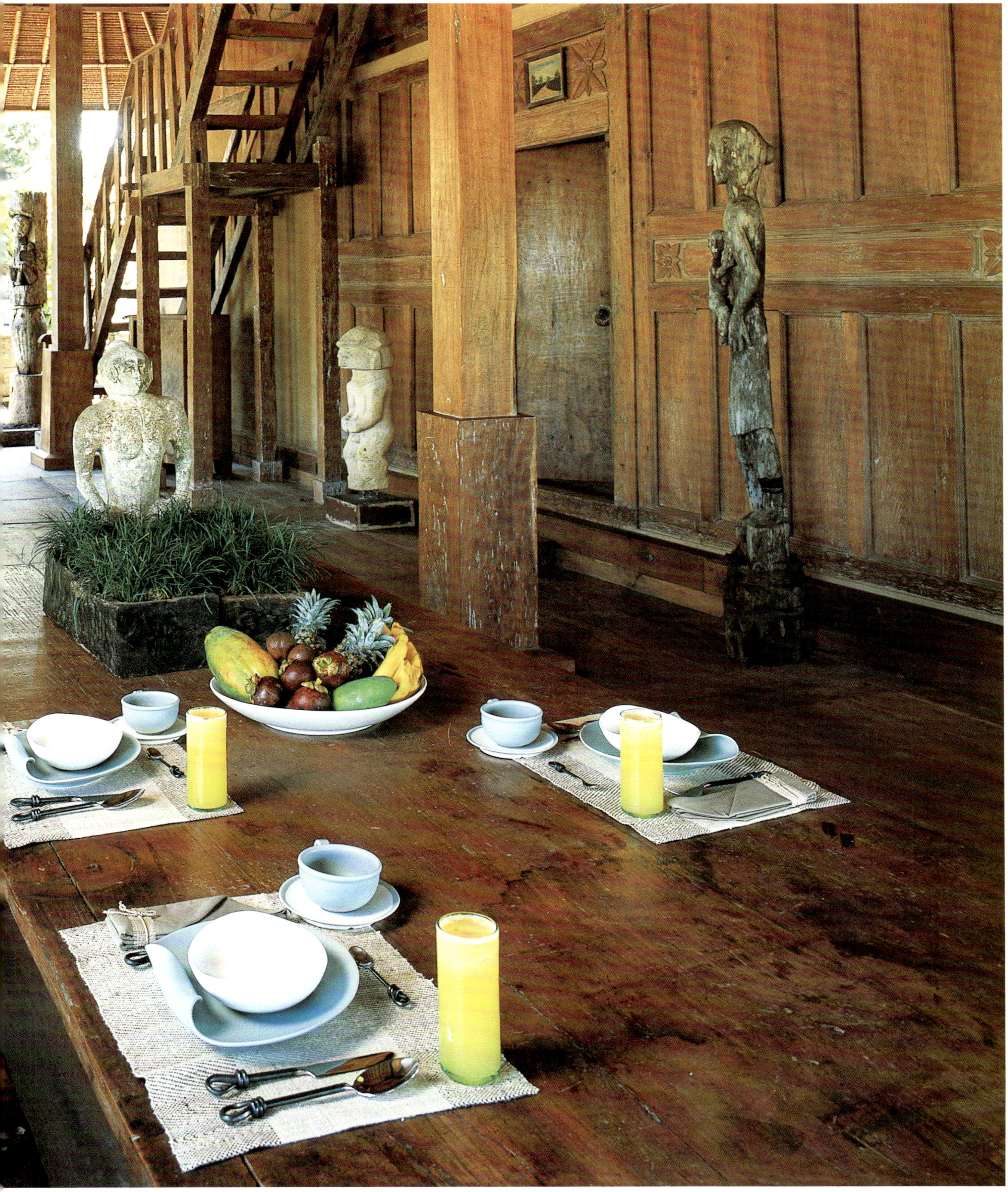

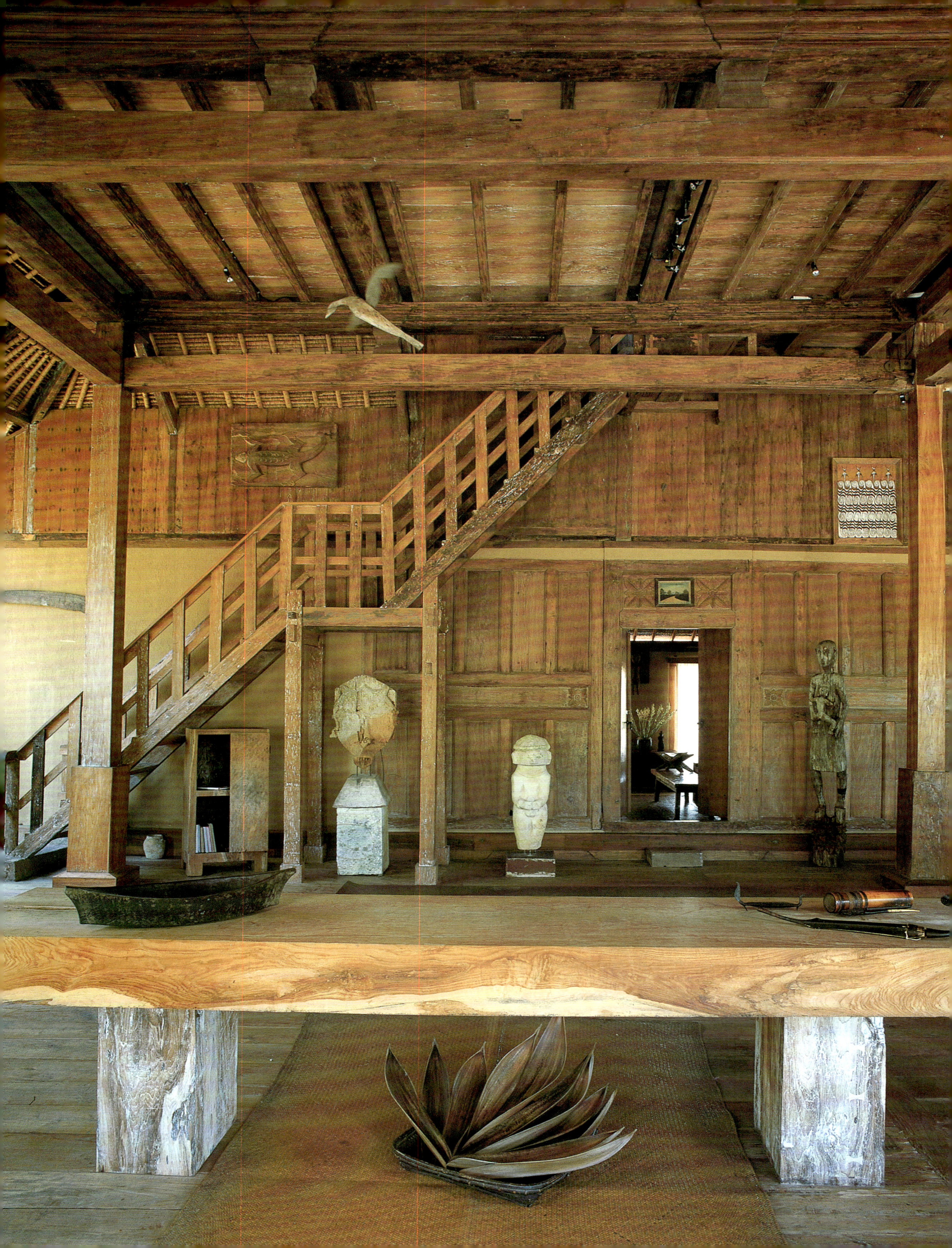

左ページ：広々としたリビング兼ダイニングは梁、壁、角柱、階段などほとんどに木が使われており、木製や石製の原始美術品とうまく調和している。手前にある大きなテーブルは、チーク材の一枚板を木製のブロックが支えている。

上：過去と現在を融合させるというオーナーのすぐれた才能が花咲いた前庭。木と石で出来た玄関を入ると、大きな木の柱と椅子に座らせたタウタウという木製人形が目に入る。

上：ベッドルーム。しっかりとした古木を使っているが、不思議なほどモダンな空間になっている。装飾品にもセンスが光る。

右：木と石という原始的な素材をシンプルに組み合わせたトイレ。木柱や石がめを配したことで、禅の香りが漂う。

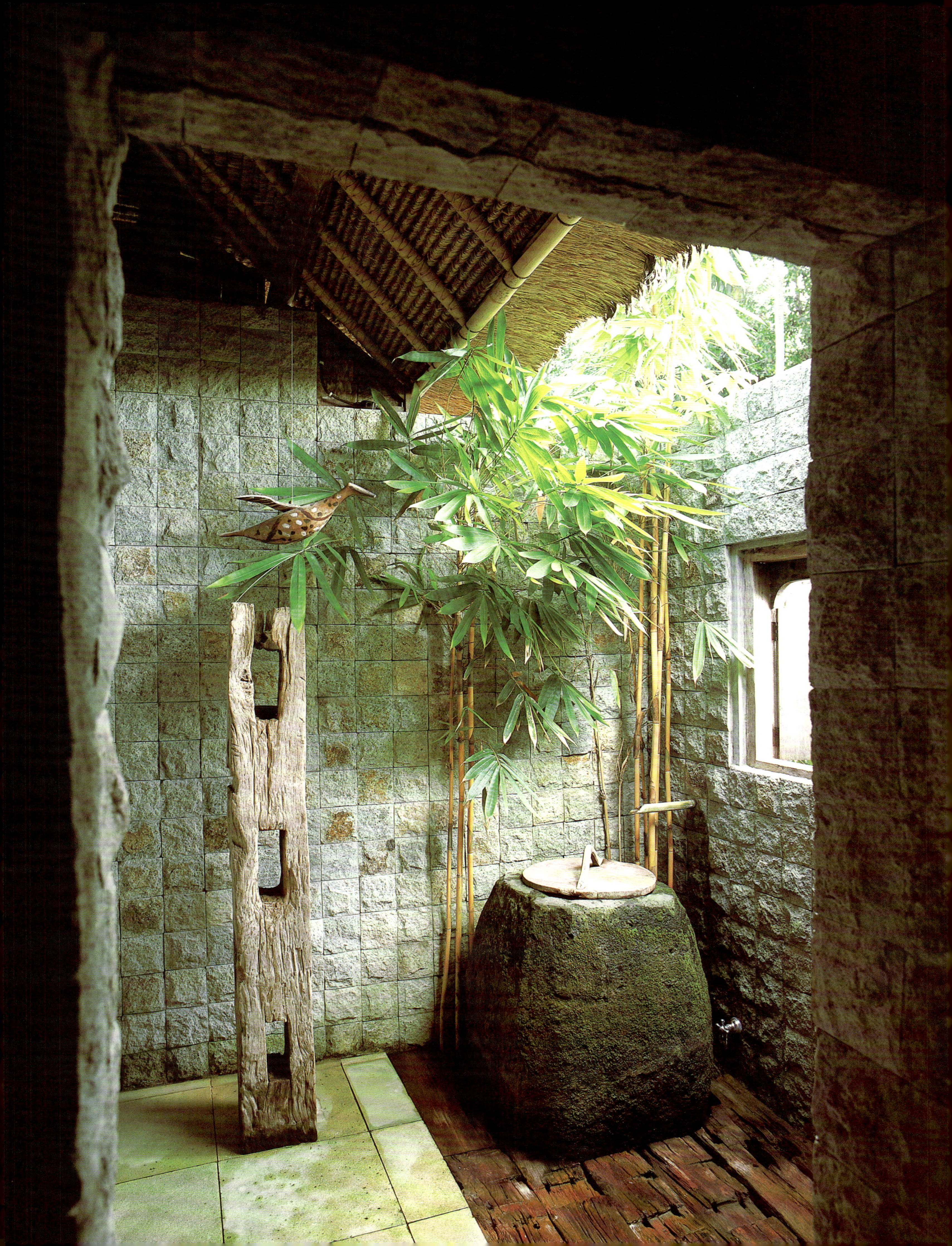

a funky abode
遊び心があふれる住まい

日本、カナダ、ヨーロッパなどを飛び回るデザイナー、デービッド・ロンバルディは「遊び心のある家」を造り上げた。チャングにある彼の邸宅は、豊かな感性の宝庫だ。稲田とタコノキという低木に周りを囲まれており、一見しただけで独特の世界になっている。様々な質感や素材のものを巧みに対比させたり、原色を取り入れたりして、楽しい空間になった。

玄関からは生活スペースにつながる通路がある。アラン・アランの草ぶき屋根もあり、モダンなブルーの建物の下半分を隠しながらも際立たせている。この建物の構造も普通とは違い、左手にキッチン、右手にはオフィスがある。

稲田、テラス、長方形のプール、そしてアラン・アランの屋根の向こうには更衣室がある。プールから続く橋を渡るとプライベートスペースで、ラウンジ、ダイニング、ベッドルーム、朝食の取れる開放的なパティオなどがある。プライベートスペースから見ると、全体としてデザインがまとまっていることが良く分かる（右ページ）。質感や素材の違うものを融合させたり、対照的な色を効果的に使ったりすることで、個性あるこの邸宅が周りの自然と素晴らしく調和している。

左：ベッドルームとウォークイン・クローゼットを分けるパーティション。

上：石とオーガニック素材で作られたオブジェ。朝食をとるパティオにあるニッチに置かれている。

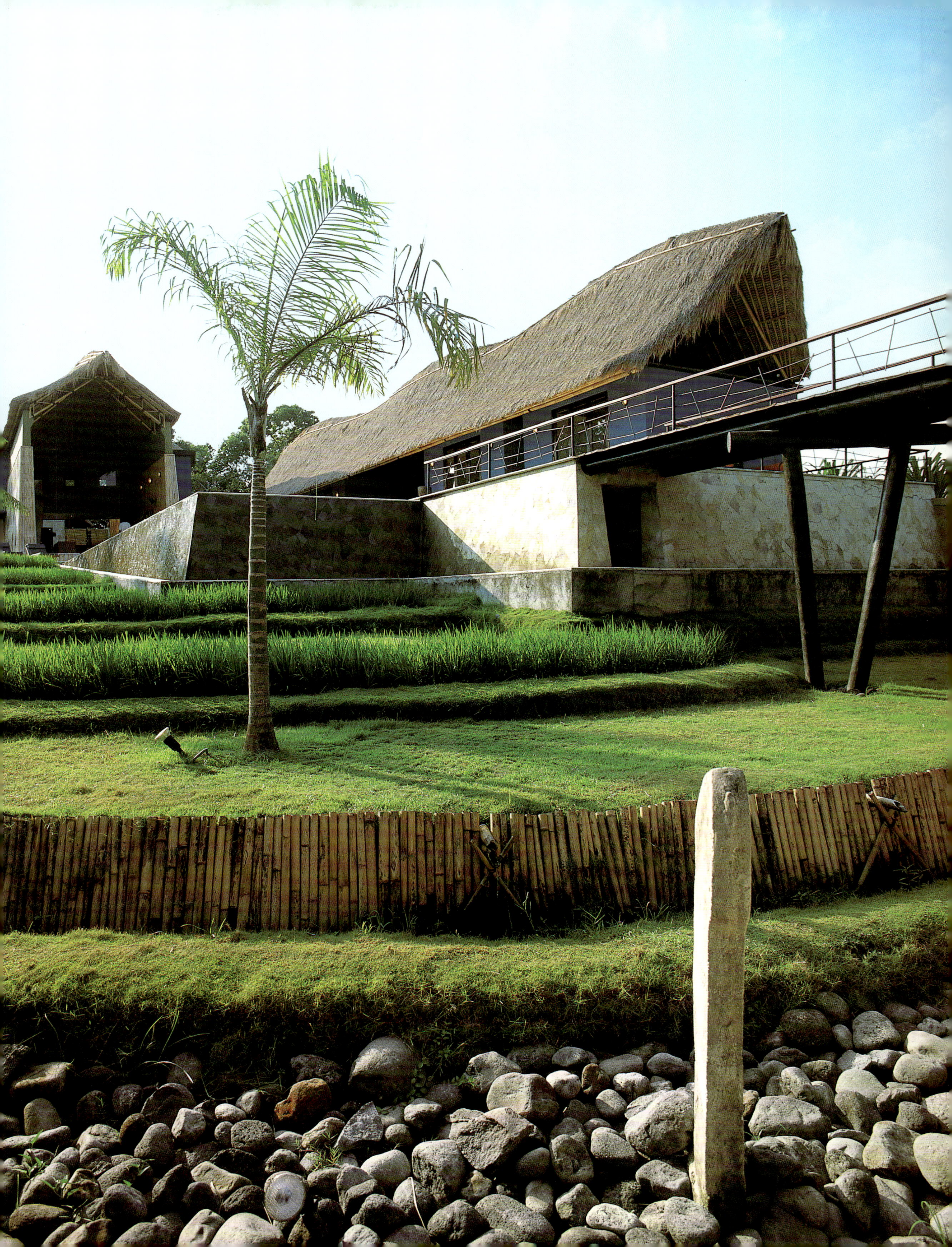

上：象牙色の敷石をたどると玄関に到着する。象牙色の石壁にはめ込まれた黒い木製の扉、素朴な竹のフェンス、そしてトラディショナルな屋根を持つ玄関。ナチュラルな色合いと天然素材を利用して、心地良さを演出している。

右：アラン・アランの草ぶき屋根は、キッチンとオフィスのある青い建物と対照的だ。

103

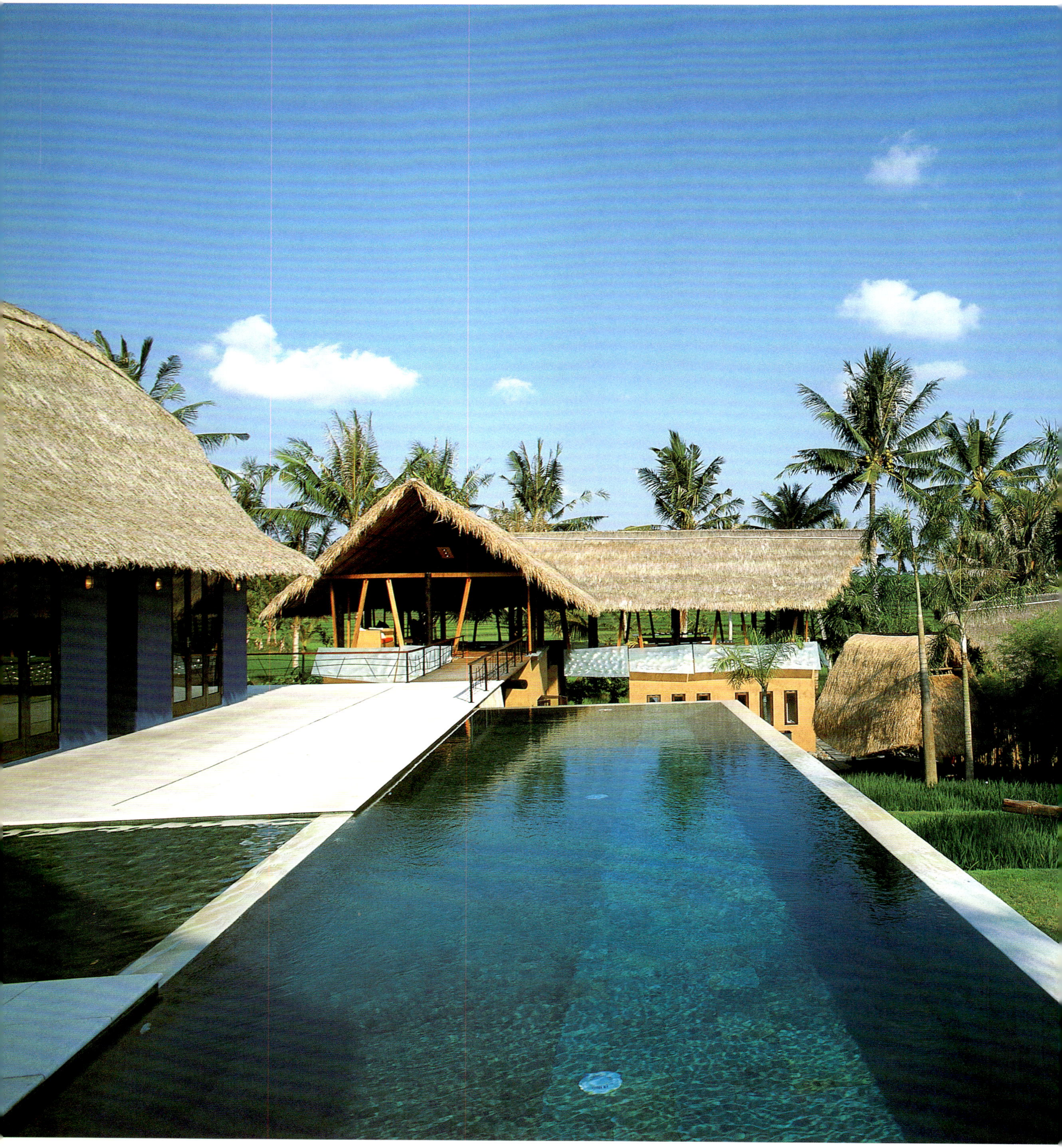

左：玄関の逆側から見た様子。長方形のプールの横には稲田が広がり、更衣室やプライベートスペースもある。

下：遊びごころと機能性を兼ね備える一階のダイニング脇のスペース。ガラスのパネルはセイキ・トリゲ作。

上：L字型をしたリビングの端にあるダイニング。パンダンという植物と稲穂の広がりが美しい。明暗の対比を工夫して素材、色、質感を選んだことで、爽やかになった。たとえば、斜めに向いた角柱の色は屋根を支えるメインの角柱の色よりも明るくなっている。リサイクル・ガラスのテーブルと食器類は、ダークウッドの椅子とカップボードにピッタリだ。

右ページ：プライベートスペースからつながる美しいパティオ。朝食や朝の空気が楽しめる。清潔感あふれる白いタイルの床と、青いカウンターや赤い出入り口とで、コントラストがはっきりした。バレでリラックスすることも出来る。スンバ島産の石で出来たオブジェは道しるべのようだ。

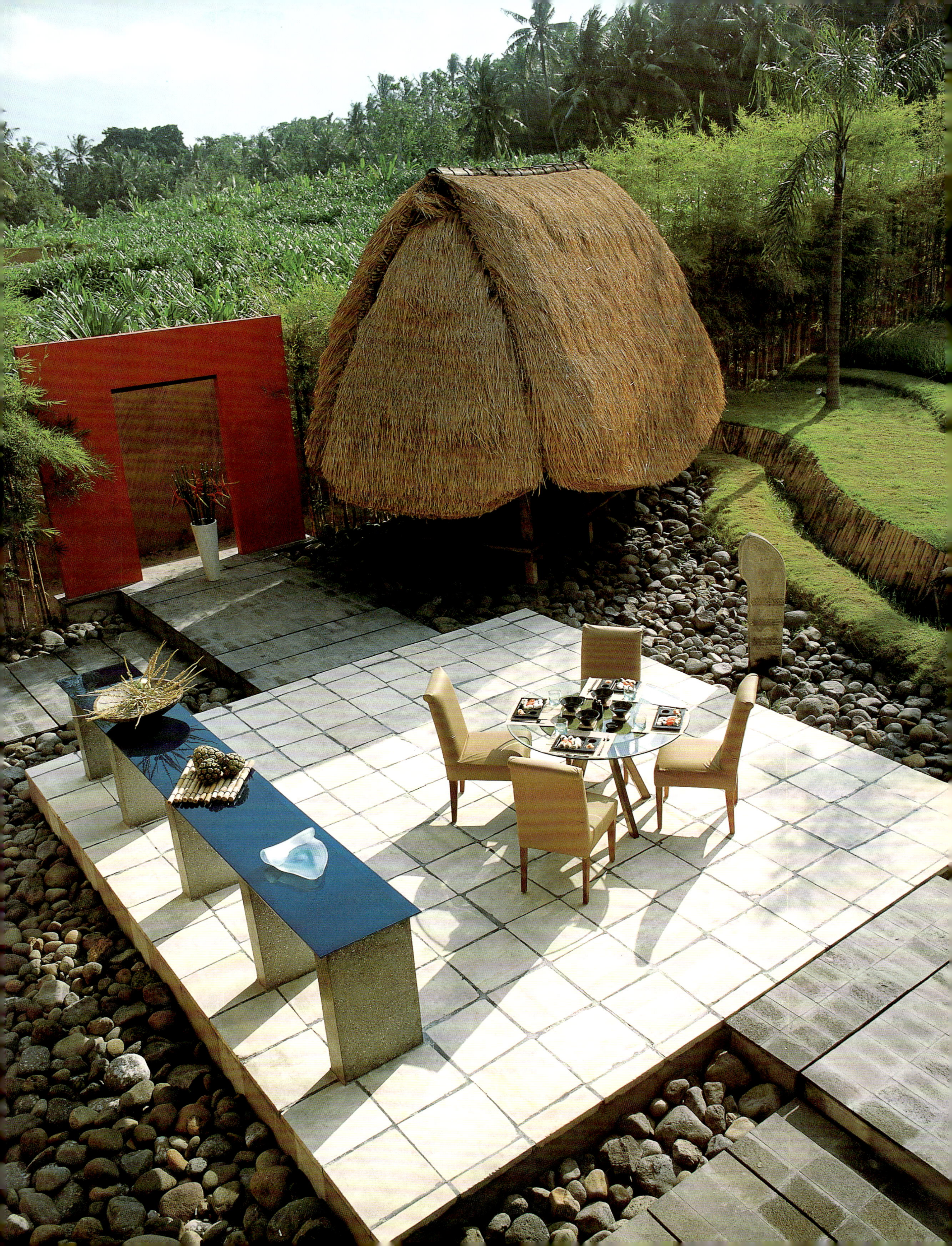

プールからつながる橋を渡ると、斜めになった柱が遊びごころを添えるラウンジだ。ビビッドな赤いクッションが、素朴なソファや椅子、板張りの床、ボルネオ製のアンティーク調マット、その上のコーヒーテーブルのアクセントになっている。

上：バリ・スタイルのトレンドともいえる、オープンエアのバスルーム。日本の茶室と鯉のいる池がモチーフだ。落ち着いた雰囲気の中で、壁の赤や洗面台の青といった原色が躍動感を生んでいる。

左：パンチングメタルを波打たせたようなモダンなテーブルランプ。エソック・ルサ製。ダークな木製の台の上に載せられた。

a batak legacy
バタク族の遺産

オーストリア人エディス・ジェスティスが所有するトバ・バタク族のものであったこの家には、150年の歴史がある。正面玄関には古くからバタク族に伝わる伝説上の獅子シンハがあしらわれている。

　木造で、元々はインドネシアの北スマトラのトバ湖畔にあったこの家は後からバリに移された。移転後も元のデザインは残したままで、今ではブドゥグルに近いバトゥリティの熱帯雨林の中にすっかり溶け込んでいる。鋭角に傾いた切妻屋根は船のようだが、これはバタク建築の典型である。屋根は木々を支配しているようにも、一体化しているようにも見える。

トバ・バタク族の家は伝統的には三階建てだ。壁のない一階で家畜を飼い、二階は家族で使い、屋根裏部屋では貴重品などを保管する。この家では移転を機に一階を取り払ったため、ダイニング、バスルーム、キッチン、サウナなどが一階にあり、両切妻屋根の下にベッドルームとリビングがある。昔ながらの家屋が現代の生活に時を越えて融合した好例だといえるだろう。

左：玄関から通じる廊下。ロンボク島アンティークの太鼓と地元アーティストのサリムが描いた絵が飾られている。

右ページ：屋根の高さを生かして、ジェスティスはベッドルームにシルクのカーテンを贅沢に使った。65年前のウズベキスタン製カーペット、チーク材のテーブル、シルバーの台座のインド製ランプ、アンティークのシャンデリアのどれもが華やかさを演出している。

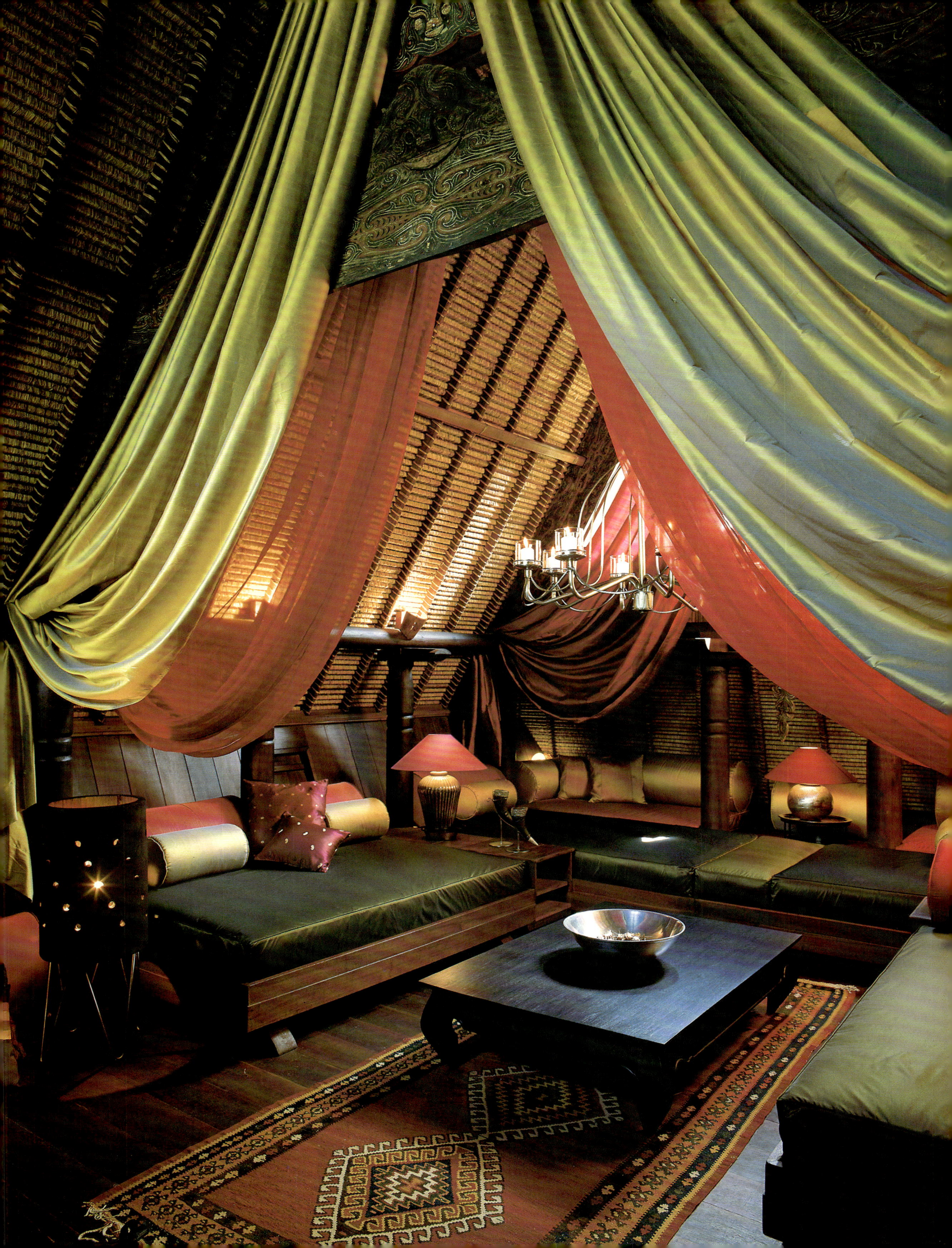

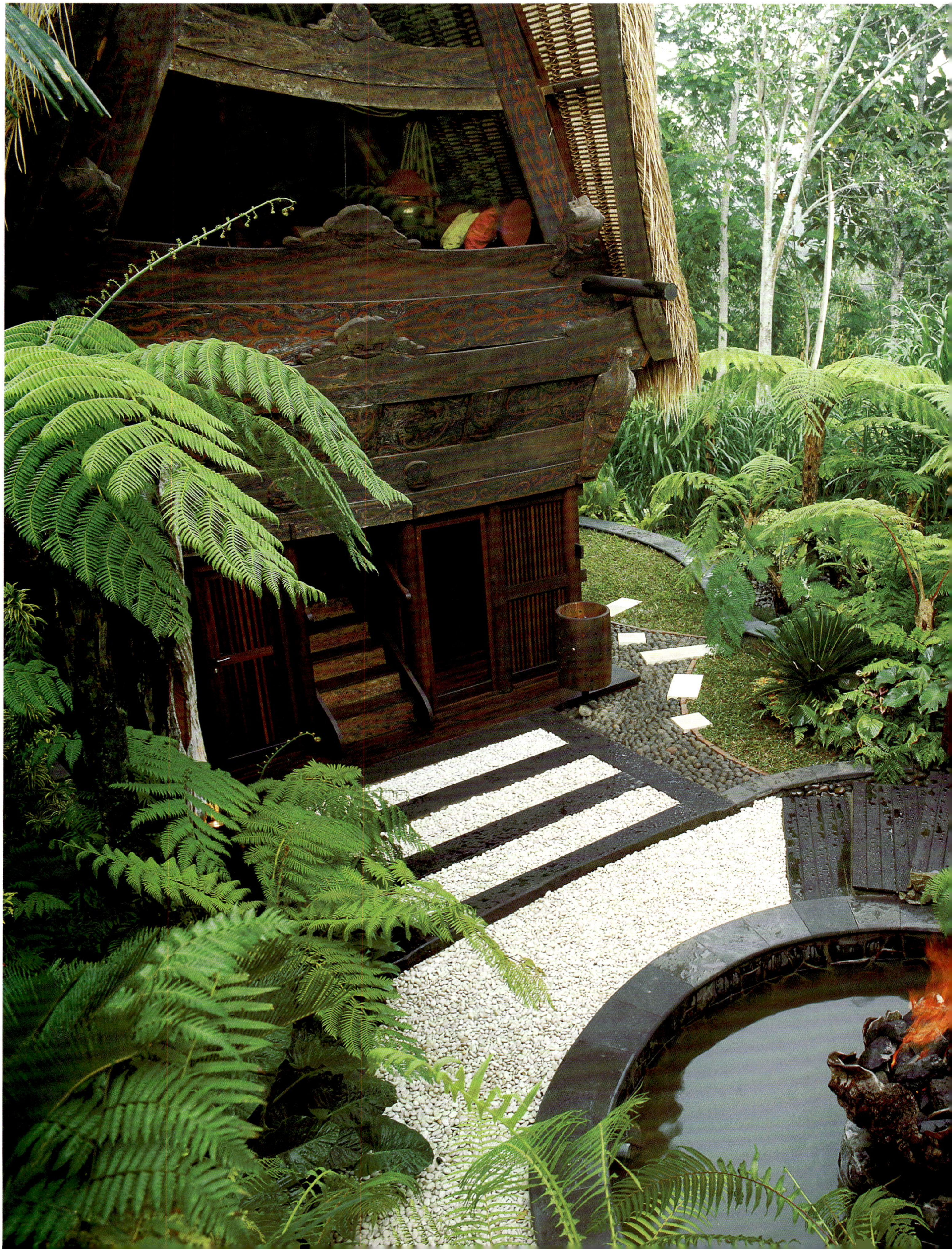

上：深い色の鉄樹（アイアン・ウッド）で作られた格子壁。巻き上げたすだれが日本風だ。上部に掲げられたパネルが美しい。

左：駐車場を出てうっそうと生い茂る植物に囲まれた円状の階段を降りると、玄関に到着する。池は家の内と外とをうまく調和させているだけでなく、夕暮れ以降には炎が灯りの役割を果たす。白い敷石と小石が通路になっている。

上：家の裏手にあるバスルーム。昔風の木製バスタブ、アンティークの水がめなどがトロピカルな環境にフィットしている。

左：バレはもっともバリらしい建物といえるだろう。外の空気を吸ってリフレッシュするためにデザインされたこのモダンなバレは、色々な使い方が楽しめる。シックな鉄樹に装飾を施して、個性的に仕上がった。

上、左：それぞれ違う方向から見たバレ。上にはプールも見える。

115

nomadic chic
ナチュラルの粋

ウブドはパヨガンにあるチャンプアン川の端に建てられたアネカ・フォン・ウェースバーグの邸宅は、彼女がいうところの「ナチュラルの粋」というライフスタイルが追及されている。訪れた人は皆、穏やかさと静けさに癒され、旅の喧噪から解放される。「パヨガン」とはバリの言葉で「ヨガをする場所」という意味なのだが、彼女がこのコンセプトを思いついたのもそのためであろう。

　休息とリラックスを最大の目的としているため、インテリアはしなやかさを重視し、賑やかにならないように考えられた。その結果、ナチュラルカラーのファブリック類や、シンプルで素朴な木の家具などが主に使われているが、全体としては壮麗さも持ち合わせた空間になっている。リビングの一角（写真下）には、家中に見られる控え目な品の良さが集約されている。

室内からは川、熱帯雨林、山々が見え、穏やかな気持ちになれる。この風景とエレガントなインテリアが相まって、アネカが目指した楽園が出来上がった。気の置けない友人たちを招くのには最高の場所である。

上：ソファーベッドに置かれたクッション。クッションカバーはアネカの手作り。

右ページ：二階にあるベッドルーム。リビングとは薄いカーテンと蚊除けのネットでしか仕切られていない。ナチュラルな木の家具とシンプルなリネン類が、周りの自然とも合っている。星空を眺めながら寝ることもできる。日中はベッドをソファにすると、リビングを広く使える。

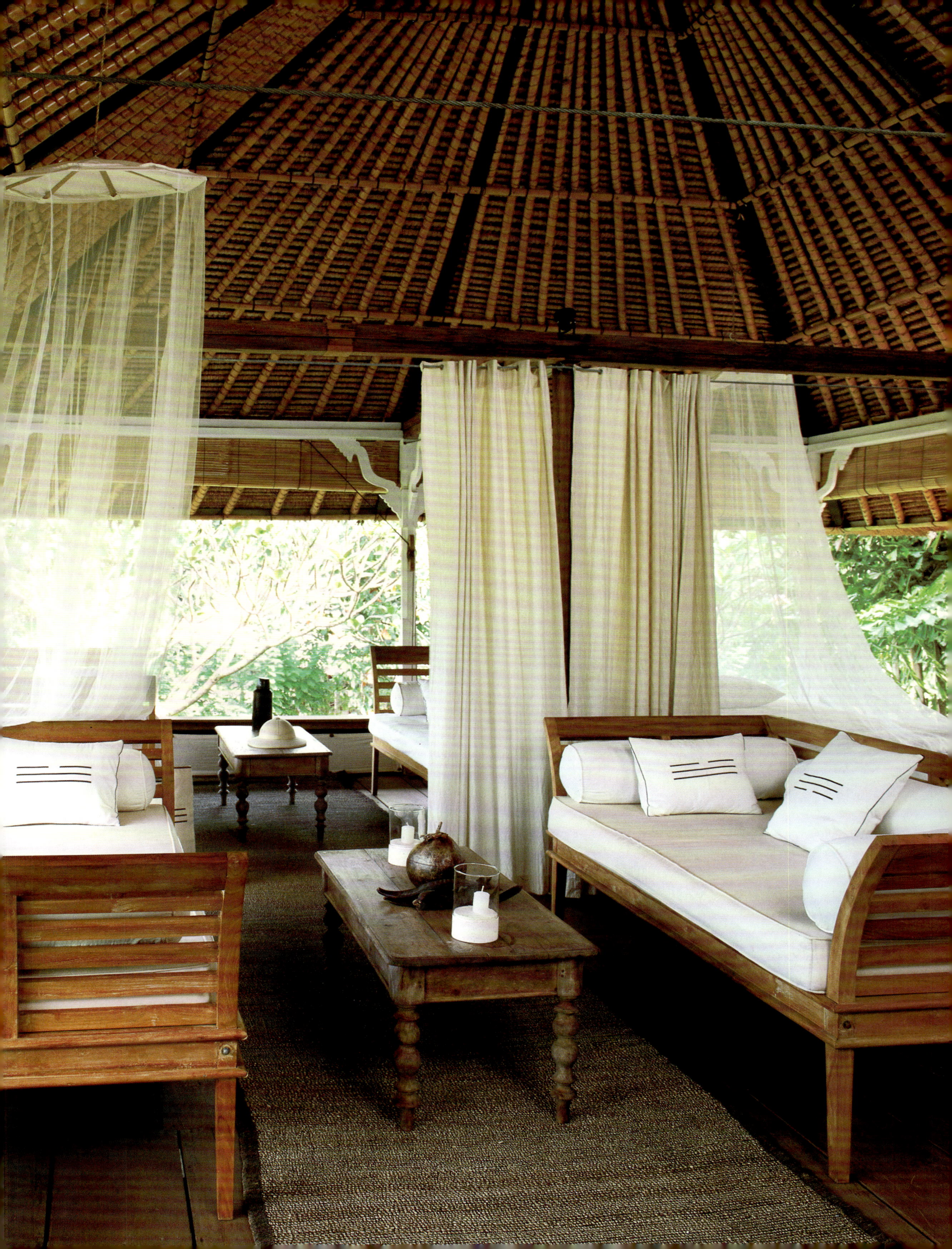

右：緑を基調にしたリビングルーム。テーマカラーのグリーンは、壁、クッションなどに使われており、飾り棚には天然素材で出来たアート作品が並ぶ。壁には稲刈り用の帽子がランプシェードとして掛けられているほか、スンバ島とジャワ島製の木彫り作品も飾られている。

上：リビングの一角。白い壁をバックにガラス板を石で支えて、教会の祭壇のような飾り棚を作った。上にはバリの手作り工芸品が飾られている。

119

二階のベッドでくつろぐ猫のミッキー。真っ白なシーツに薄いカーテンが、開放感のある部屋にピッタリだ。ベッドの横にあるのは革と黒のキャンバス地製スーツケース。上にはベトナム風の帽子と、ビルマ製のラッカー塗りの魔法瓶が置かれている。

一階にあるブラウジングコーナー。庭に面しているが、太陽の光はシルクとレーヨンのカーテンが和らげてくれる。大きなソファーベッドには両側から使えるようにクッションと長枕が置かれた。

ロマンチックなベッドルーム。白く染めたフローリングに中国式の竹製ベッドをしつらえ、真っ白なベッドカバーと蚊帳地を掛けた。薄いキャンバス地のカーテンは、書斎部分との仕切りになっている。コロニアル・ジャワ・スタイルの机の向こうには稲田が広がり、夕焼けが美しい。

二階ベッドルームにある収納スペース。白いキャンバス地を使ったポータブルなテントタイプで、衣類、靴、アクセサリーが整然と並んでいる。

a bold approach
個性豊かなアプローチ

クロボカン地区にあるギリシャ人のボーニアス邸は二階建てで、イタリア人建築家ジョヴァンニ・ダンブロシオが設計した。インドネシアの熱帯性気候に合うように考えられた、モダン・トロピカル建築の実例である。装飾を最小限に抑え、シャープさを際立たせているのが特徴だが、それがよく表れているのが玄関だ（写真下）。傾斜した大きな木製の屋根は、張り出した部分が穏やかな日陰を作り出している。

家の内部は、機能性と美しさを兼ね備えている。スペースが有効に使われているが、これは屋根の形状による所が大きい。傾きがあるので、室内に開放感を持たせることが出来た。屋根の厚みは1メートルあり、表面の金属面が波型になっているので腐敗を防ぎ、内側には木を使ってあるので換気しやすく、涼しさが保てている。

上：ダンブロシオ自身がデザインしたダイニングテーブルのアップ。真ちゅうで作られた葉が二枚のガラスに挟まれている。風に集められたかのようだ。

左：玄関。シャープなウッドデッキと二階へ通じる階段が印象的。

右ページ：家の裏手の庭から見た様子。敷き詰められた黒い小石、どっしりとした彫刻のような石壁、荘厳な屋根はどれもアート作品のようだ。

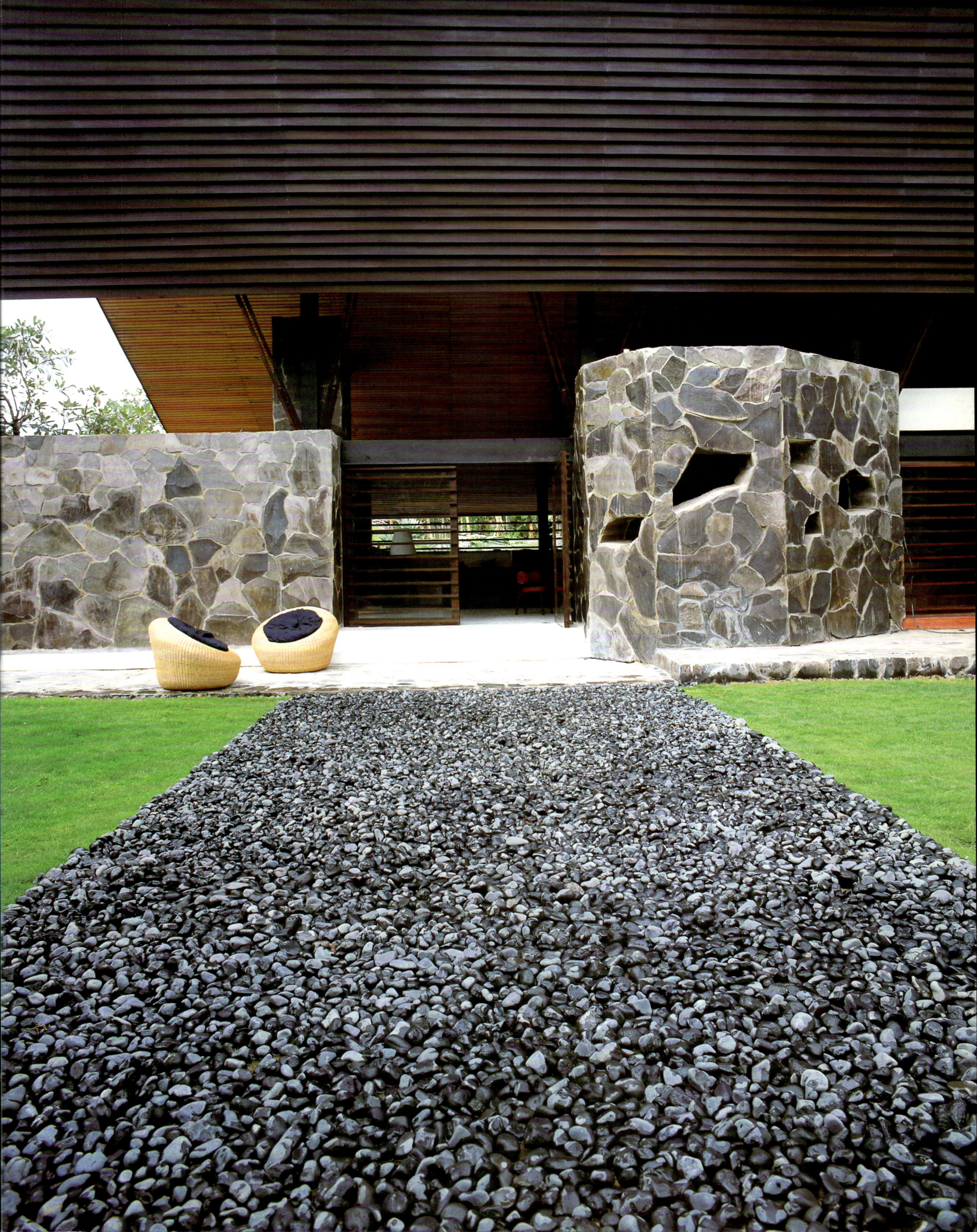

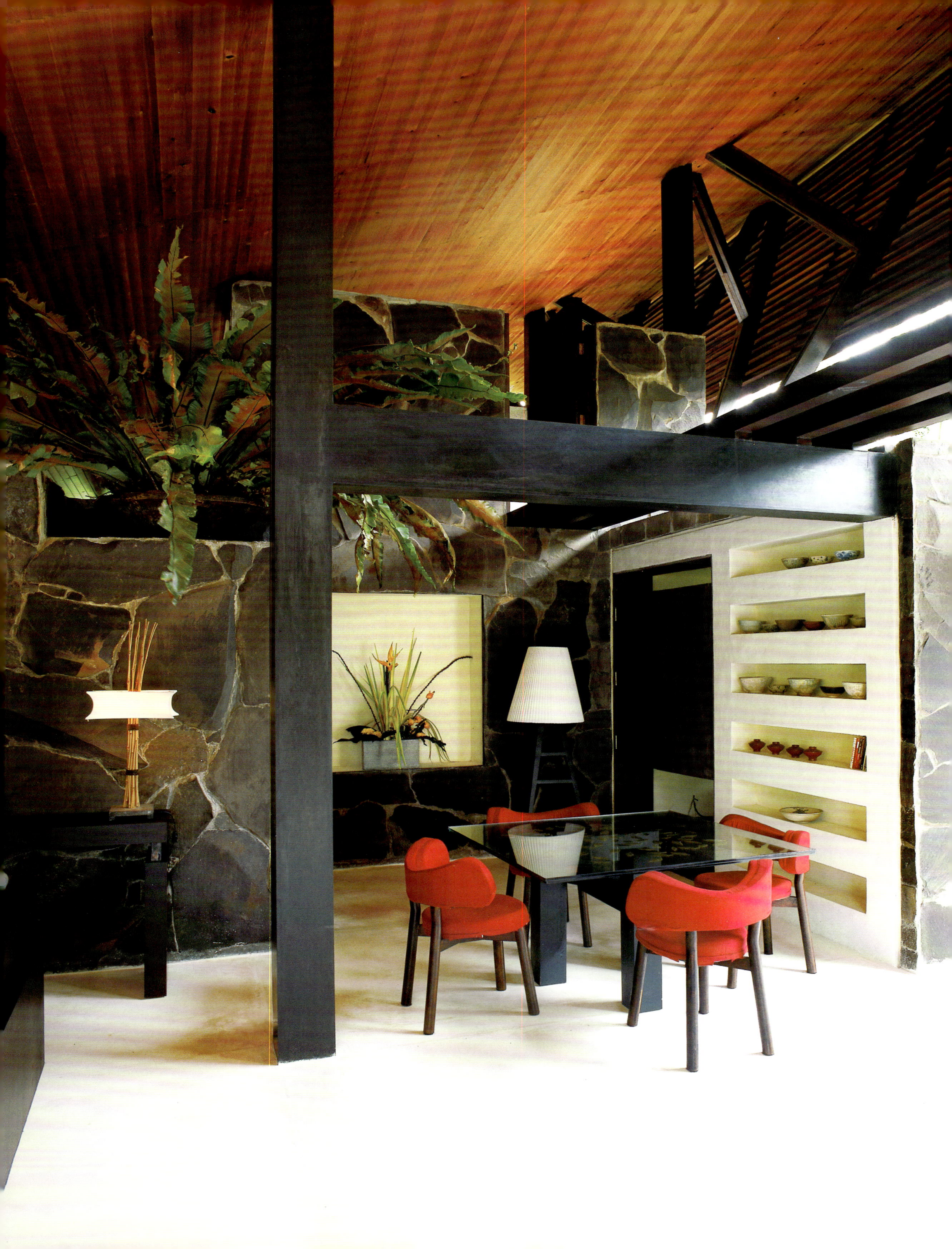

上：主寝室は、フローリングと石壁のシックな色合いと、反対側の壁とベッドの枕板の赤が対照的だ。後方の一段高いところはバスルーム。竹製のモダンなランプが部屋全体を引き締めている。

左ページ：ダイニングルーム。使われているものの素材、色の対比が鮮やかだ。

右：リビングルーム。ガラスと木を使ったことで、シンプルさが強調されている。格子になった大きな扉、ソファーベッド、ランプなどがモダンなインパクトを与えている。

a tropical mountain retreat
トロピカル・マウンテンの隠れ家

シンガポールを拠点にしている芸術品や骨董品のアメリカ人ディーラー、クリストファー・ノトは、夢を結実させたヴィラ・ウマを建てた。ウブドのトロピカル気分を堪能するためにデザインされたこのヴィラはジャングルの中にあり、稲田を通る90メートルほどの道しか通じていないので、プライバシーが完全に守られている。ヴィラから見るとバリ特有の美しい風景がどこまでも広がっている。

合理的なアメリカン・モダンでデザインされたこの家は、造りがシンプルな上に装飾も控えられた。木々に囲まれているので、「モダンなツリーハウス」と呼ばれている。リビングは特に個性的で、室内のラウンジやダイニングのほか、外のデッキやプールからも行き来が出来る。広大な自然も間近だ。ベッドルームは他の部屋と同じくナチュラルなテイストで、露天風呂につながっている。全体的に穏やかで、周囲の環境とのバランスが保たれた。

左：デッキとエクステリア。

右ページ：エスニックな香りがする二階のリビング。木製の「ニュー・アールデコ」のコーヒーテーブルを真ん中に、コロニアル・ジャワ・スタイルのベンチや、ココナッツの木を使ったスタンドランプ、70年代アンティークのチーク材キャビネットが並べられている。壁には古いの木製の車輪が飾られている。コーヒーテーブルの上にある18世紀ビルマ製の像もアクセントになっている。

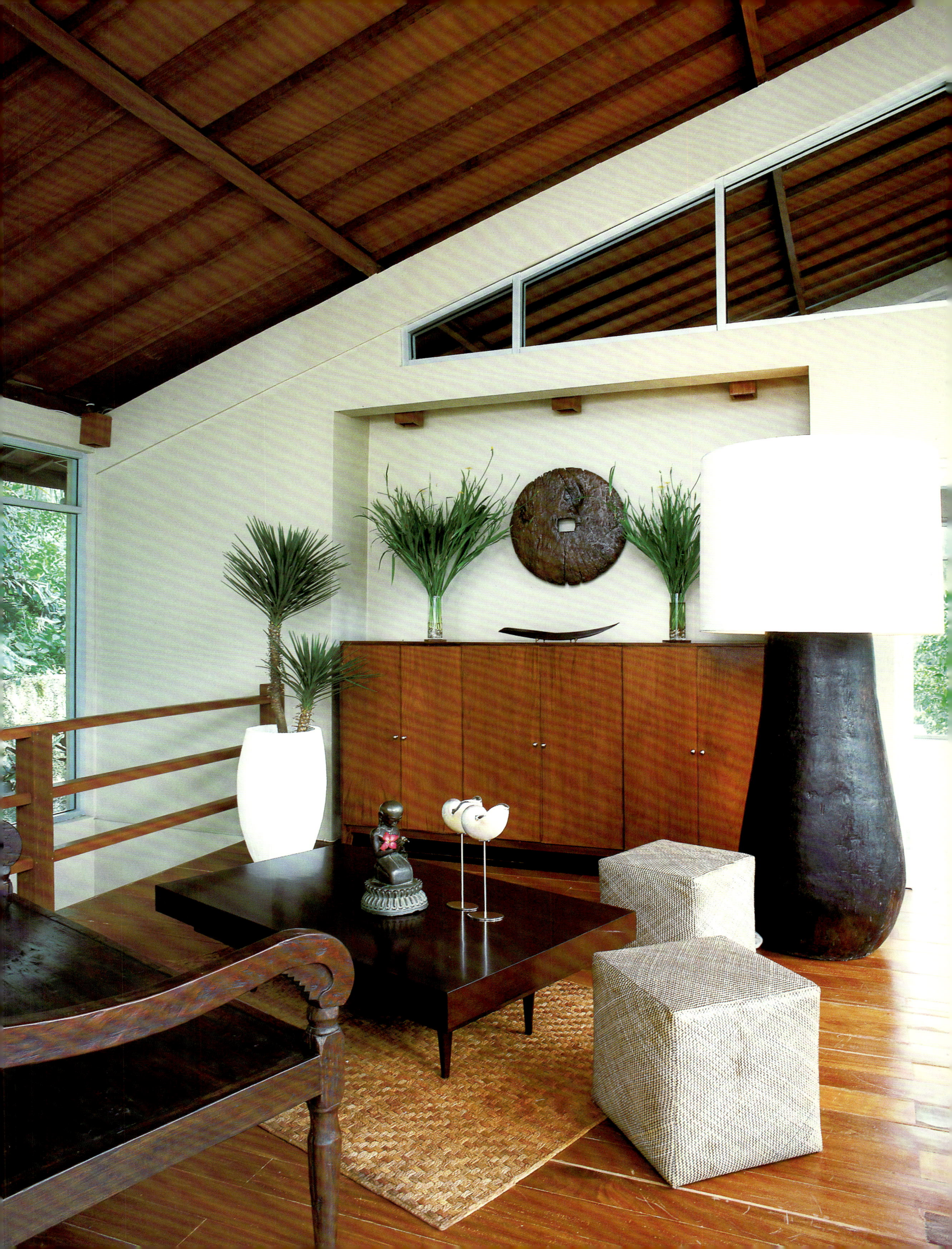

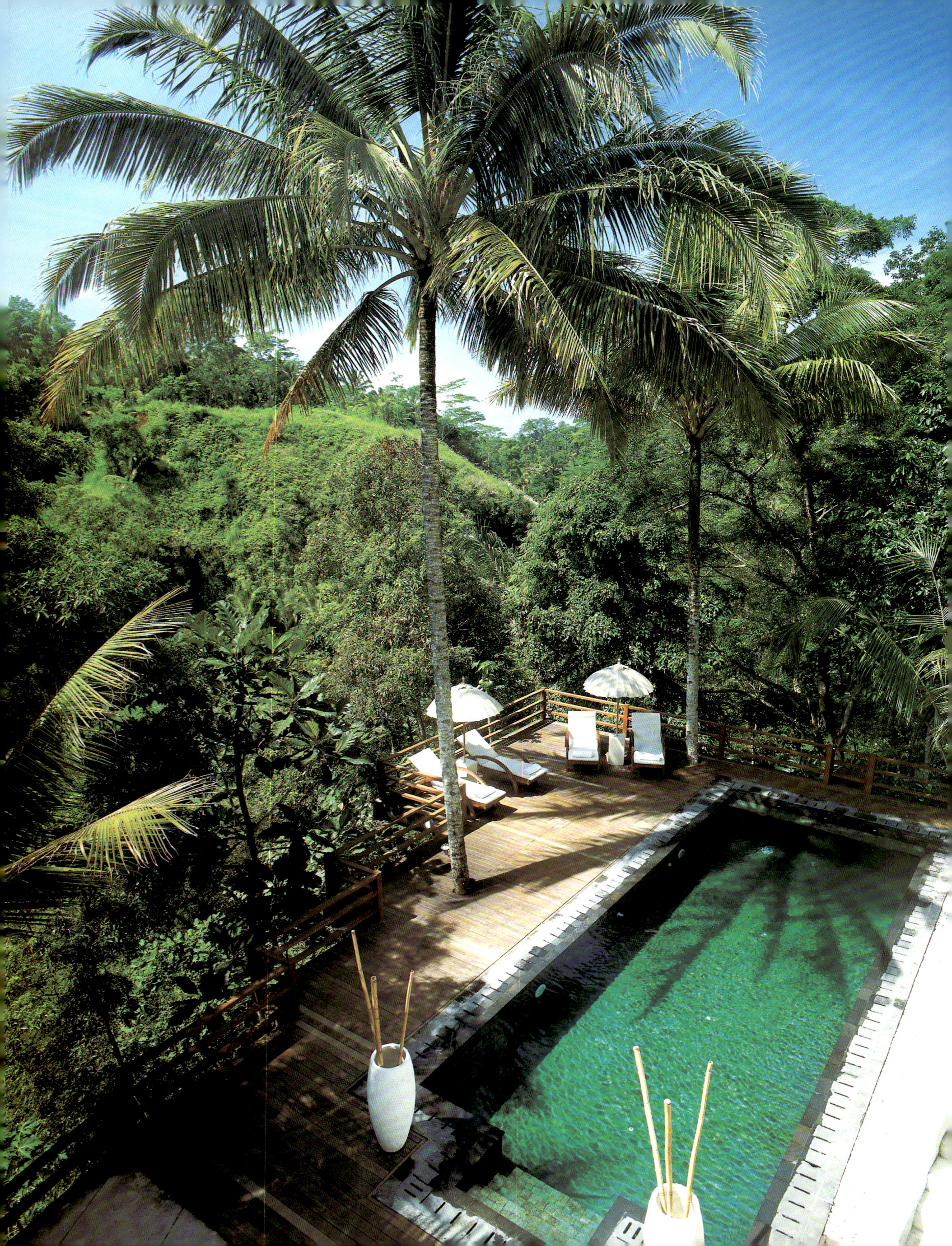

左ページ：エメラルド色のタイルを貼ったプール。広々としたウッドデッキもあり、熱帯の環境では天国のような存在。

上：玄関近くにある平らな屋根が特徴的なバレから見ると、プールの向こうに素晴らしい風景が広がっている。

左：オープンエアのダイニングでは、この眺望を独り占めにしたような気分が味わえる。

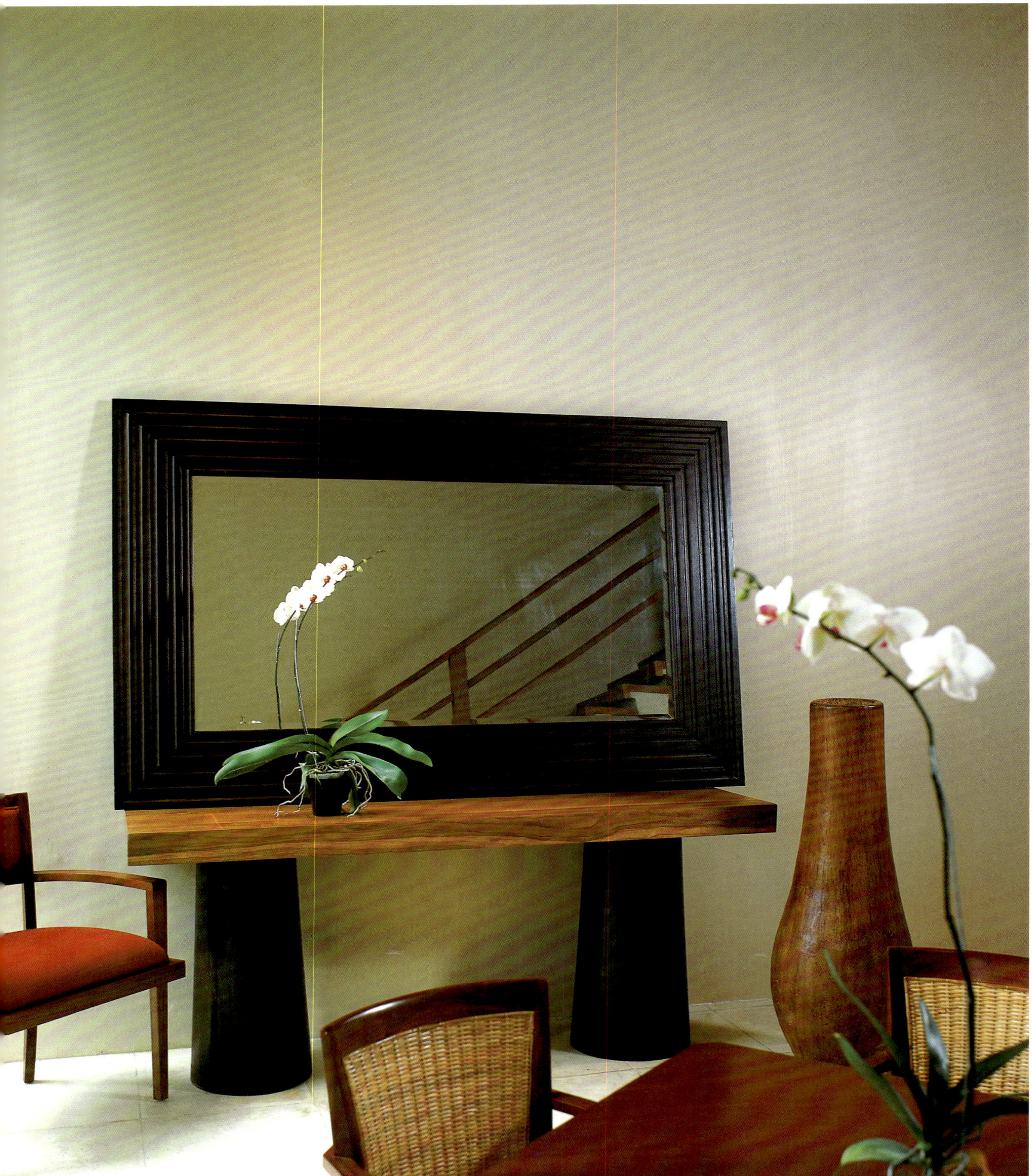

左ページ：邸宅内のダイニングには、シックな鉄樹の枠を持った大きな鏡が、チーク材にココナッツの木の足をつけた台に置かれている。右手にある同じくココナッツの木で出来たオブジェが独特のエスニックな感じをたたえている。

上：チーク材と鏡を使ったパーティションが二階の主寝室の枕板になっている。二台のスタンドランプはジャヤ・イブラヒムのデザインで、籐製の椅子と足置きと共に、アールデコ調のアクセントを与えている。

fluid transitions
環境との融合

GMアーキテクツは「建築と自然との共生」を探求し続けている。建築は周りの環境から自ずと生まれてくるものという考えだ。彼らの最近の作品であるこの邸宅は、それを完璧といえるほどに達成している。大きく傾斜した屋根が、オープンスペースさえもうまく隠している（写真上）。

　この邸宅では「自然」がキーワード。水がデザイン上重要な役割を果たしている。家と庭の間に位置する不思議な形のプール（写真左下）は、このふたつの空間を分けるものであり、融合させるものでもある。

建物と自然は、地元産の石を使うことでバランスを取った。どの石も触感やトーンなどを重視して厳選されている。グレーとピンクを混ぜたような色の石は内壁にも外壁にも使われているが、ほとんどの床に使用しているチルボン産の象牙色の石ともよく合っている。モダンながらも静かで穏やかな空間が出来上がった。

右ページ：広々としたリビング。暖かさ、明るさ、そして躍動感がある。なだらかに傾いた大屋根は、この家と外の自然をつなぐ役割をしている。屋根が木で出来ているのもポイントだ。白やクリーム色にゴールドでメリハリをつけるという全体としての色のトーンや、コットンやシルクといった素材が、落ち着きを感じさせる。黒光りしたコーヒーテーブルと、ヤシの木で出来た「π」の形をしたオブジェが良いアクセントになっている。

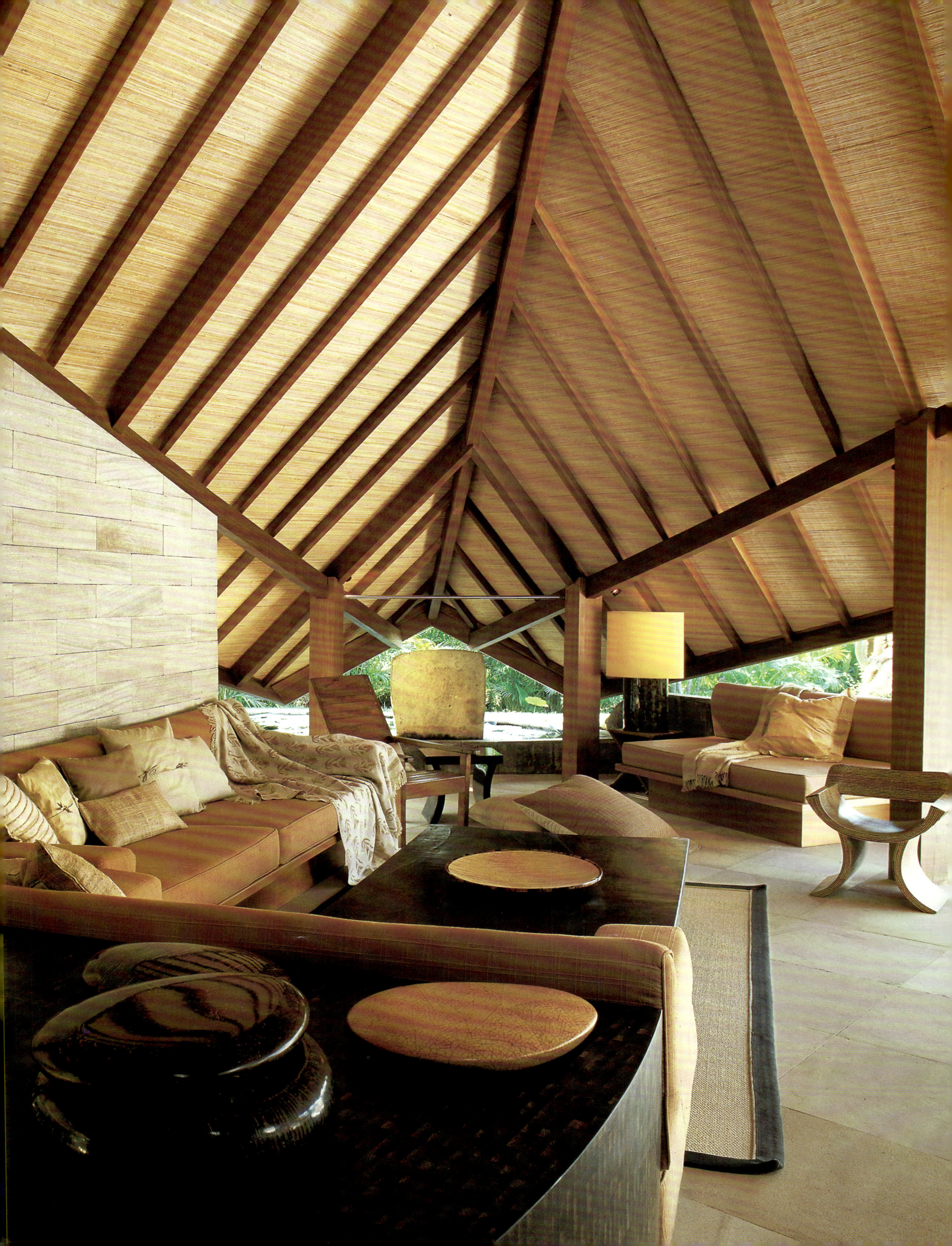

上：緩やかな滝が蓮池に流れ込む。荒削りの踏み石を渡ると玄関だ。全体としてはモダンだが、禅の空気も持ち合わせた空間になっている。淡いピンクとグレーの石壁は、白い敷石と調和している。

右：室内から見た庭の風景。水、石、緑の木々といった自然の要素が絶妙に取り入れられている。白い踏み石を歩いていくと、美しい芝生とプールに通じる。地元産の石を使った緑色の壁は波型になっており、周りの自然との対比は壮観だ。バリ伝統の祭壇もピッタリと納まっている。

137

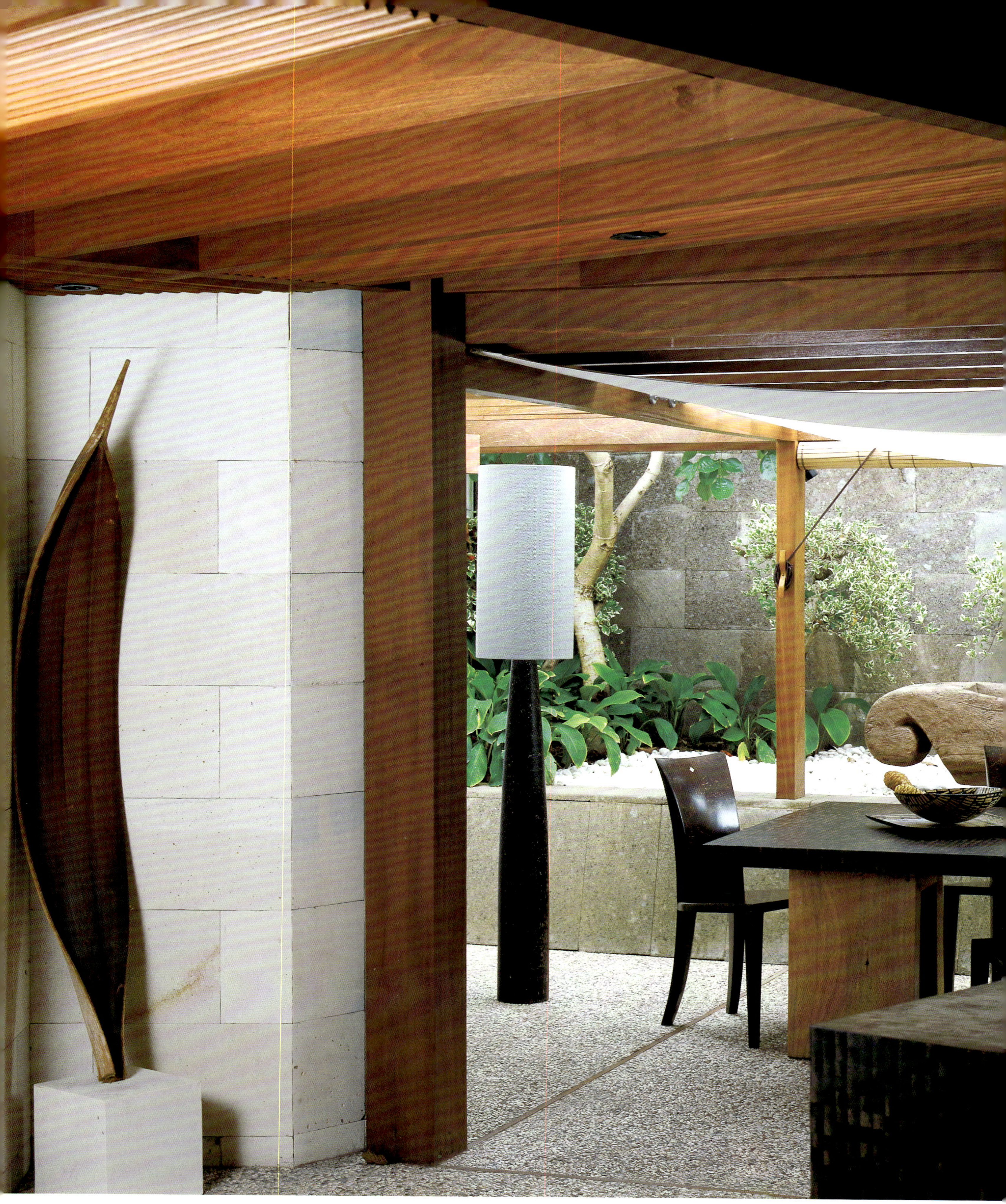

左：広々としたベランダの下にあるダイニング。コットンのカーテンから柔らかい日差しが射し込む。「π」の形をしたオブジェとテーブルトップは、どちらもヤシの木で作られた。左手前には、ココナッツの葉をモチーフにした大きなオブジェが石の台座の上に飾られている。ダークな色と明るい色との相乗効果で、おもしろい空間になった。

下：スタイリッシュなバスルーム。モダンながらもくつろげる雰囲気だ。壁、床、洗面台はオレンジ・アイボリー色で、チーク材のキャビネット類ともよく合っている。

living with nature
自然と暮らす

プールから見た白いフランジパニと赤いデイゴが美しい。この邸宅（写真上）も、GMアーキテクツの設計による近代バリ建築の一例である。板で二重にふいた屋根に存在感が漂う。庭に向かって緩やかに傾斜しており、地面に届かんばかりだ。こうすると外部から余計なものが入らない上に、内側には広い空間が出来る。そこに置かれたのは自然木や石で、静かに周囲に融合している。家の中からは、古木や石で出来たオブジェが素晴らしい庭（写真下）を見渡せる。

ゆとりが感じられるのは、インテリアのモダンさが押し出されていないからだ。それぞれはよく吟味された家具も、全体としては地味といえるほどにすっきりとしている。しかし、優美さをたたえているのは、家具の量感やフォルム、材質などが考え抜かれているからだろう。

屋根の傾きで生まれたスペースは多種多用に生かされている。たとえば、階段やリビングの中二階などだ。滑らかな仕上げと硬質な仕上げを混在させることで、開放感と明るさ、テクスチュアと質感に気を配ったモダンな空間が出来上がった。

右ページ：この玄関には「自然をシンボルとして外敵から身を守る」という家の本質が集約されている。硬質材を用いた重厚な屋根には安心感があり、白い敷石や砂利道は内と外を違和感なくつないでいる。後壁に面した蓮池や、バリの守護神サラスワティの像も印象的だ。

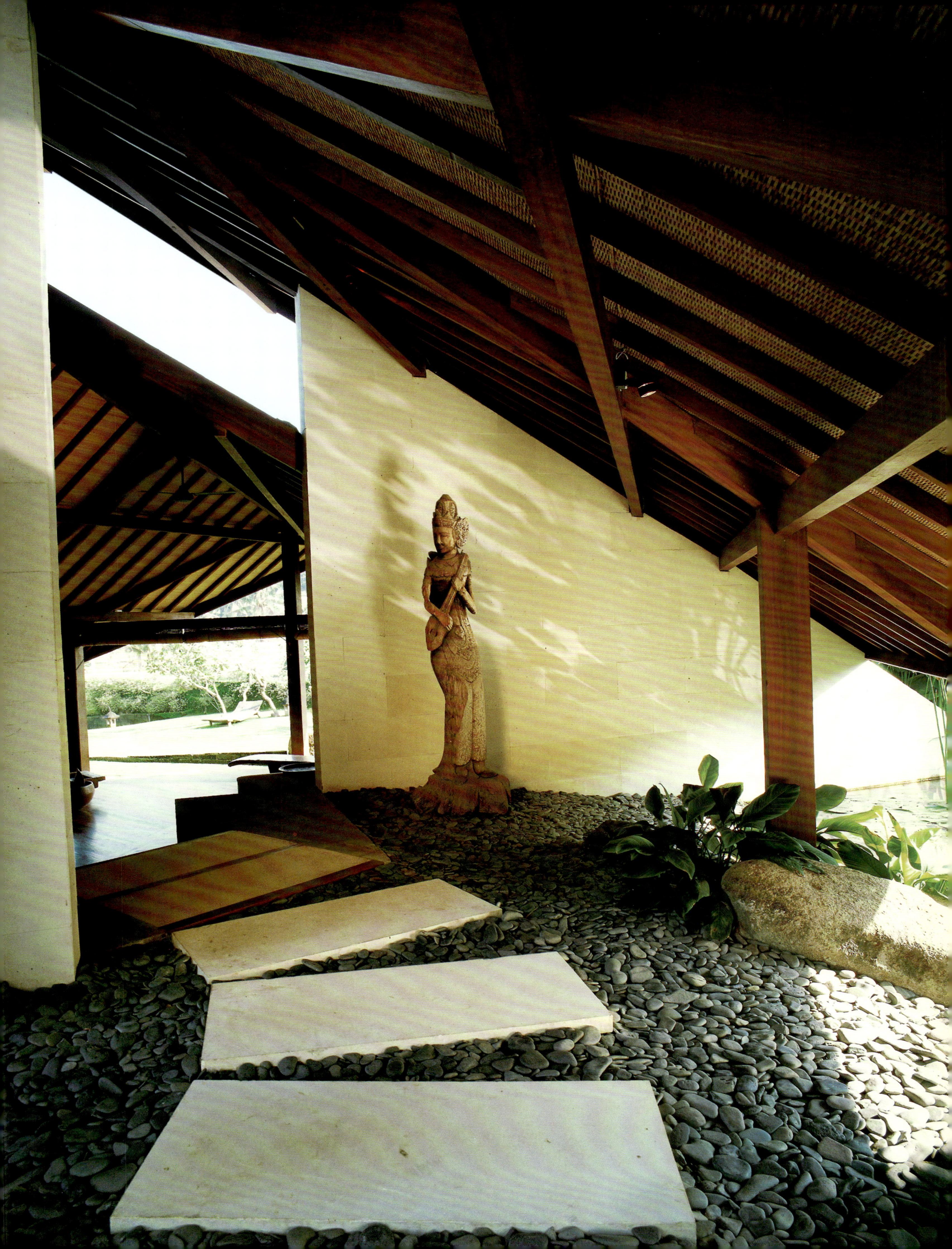

上：スペースを有効に使った結果、天窓のある廊下とそこからつながる主寝室が魅力のある空間になった。家全体と同じくモダンなテイストになっている。造りつけのチーク材の飾り台上には木や石の化石が並んでおり、マルコ・リーがデザインしたモダンなスタンドランプと対照的だ。

右：シックな石造りの床のダイニングに鎮座する大きなテーブルは、太い黒木の足が印象的だ。木の柔らかさがあるので、大きくても圧迫感がなく、チーク材に籐を合わせた椅子とも良く合っている。マルコ・リーがデザインしたガラスと木のスタンドランプがモダンで、全体の空気を引き締めている。

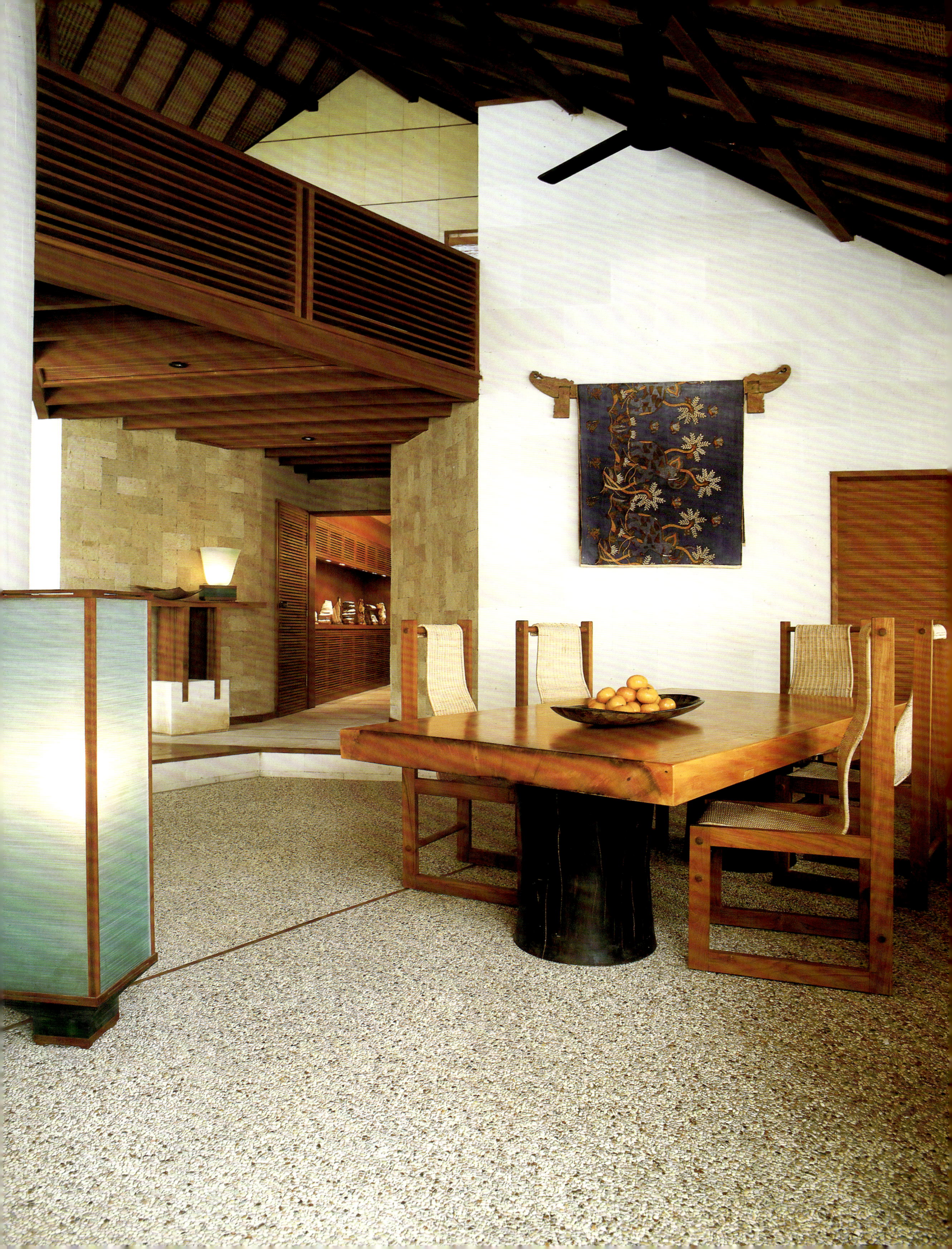

モダンなリビング。石と木を使ったコーヒーテーブル、ジャワの古い石を台座にしたランプ、思わず目を奪われるバタク風の二本の柱、その台座になっているスマトラ産の白い石などのアイテムは、形や素材が吟味されており、美しいコントラストを見せながら、清潔感のある上品な空間を作っている。

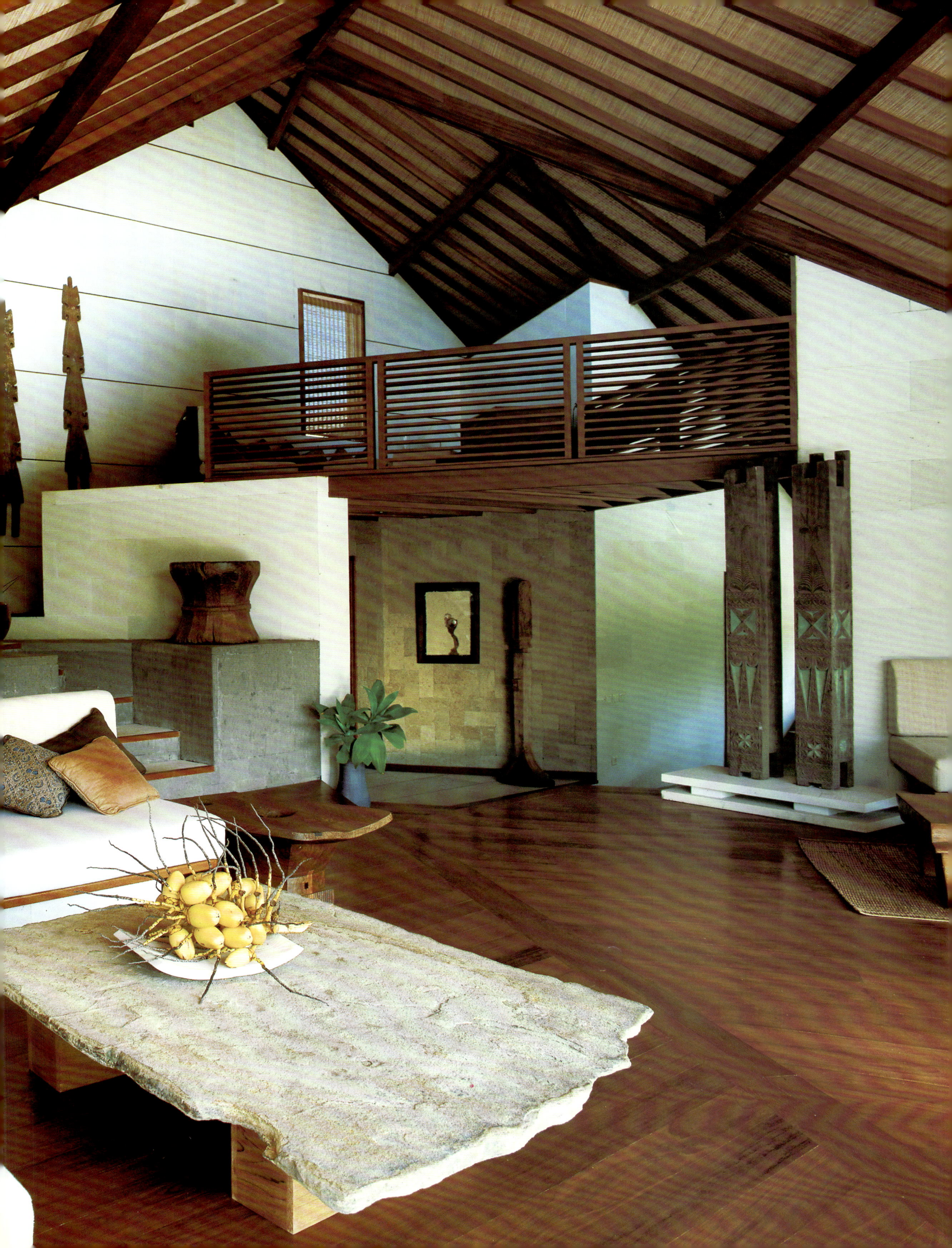

interior reflections
鏡の不思議空間

レギャンの中心部にあるレストラン「ネロ・バリ」は、イタリア人建築家ジョヴァンニ・ダンブロシオが設計した。もとから波型になっているセメント板、木の小片、板状の鏡など、ローコストな素材のみを利用したことで、ダンブロシオは「日常にあふれているものや素材を使うことの重要さ」を強調した。それらは考え抜かれて効果的に使われているので、このレストランの空間にすっかり溶け込んでいる。

「ネロ・バリ」でもっとも特徴的なのが、下の調理場から上のレストランに通じる階段だ。両サイドに鏡が張られ、階下をカモフラージュするだけでなく、多重反射の不思議な空間を作り上げた。

壁には特殊な素材を使ったので、ミステリアスな空間が出来上がった（右ページ）。波型のセメント板は独自の質感で、どっしりとした木の床や隣の石壁と対照的である。二階には箱を積み上げたようなスタンドランプがあり（写真上）、アバンギャルドなムードに満ちている。店内はどこもシックでトレンディーだ。

左：細部にまでこだわった店内のインテリアは、ダンブロシオ自らがすべてをデザイン。どれも機能的だが、見た目は斬新だ。一階にあるテーブルは一枚板に三脚をつけたシンプルな造りだが、足の一本は個性的なランプの足にもなっている。

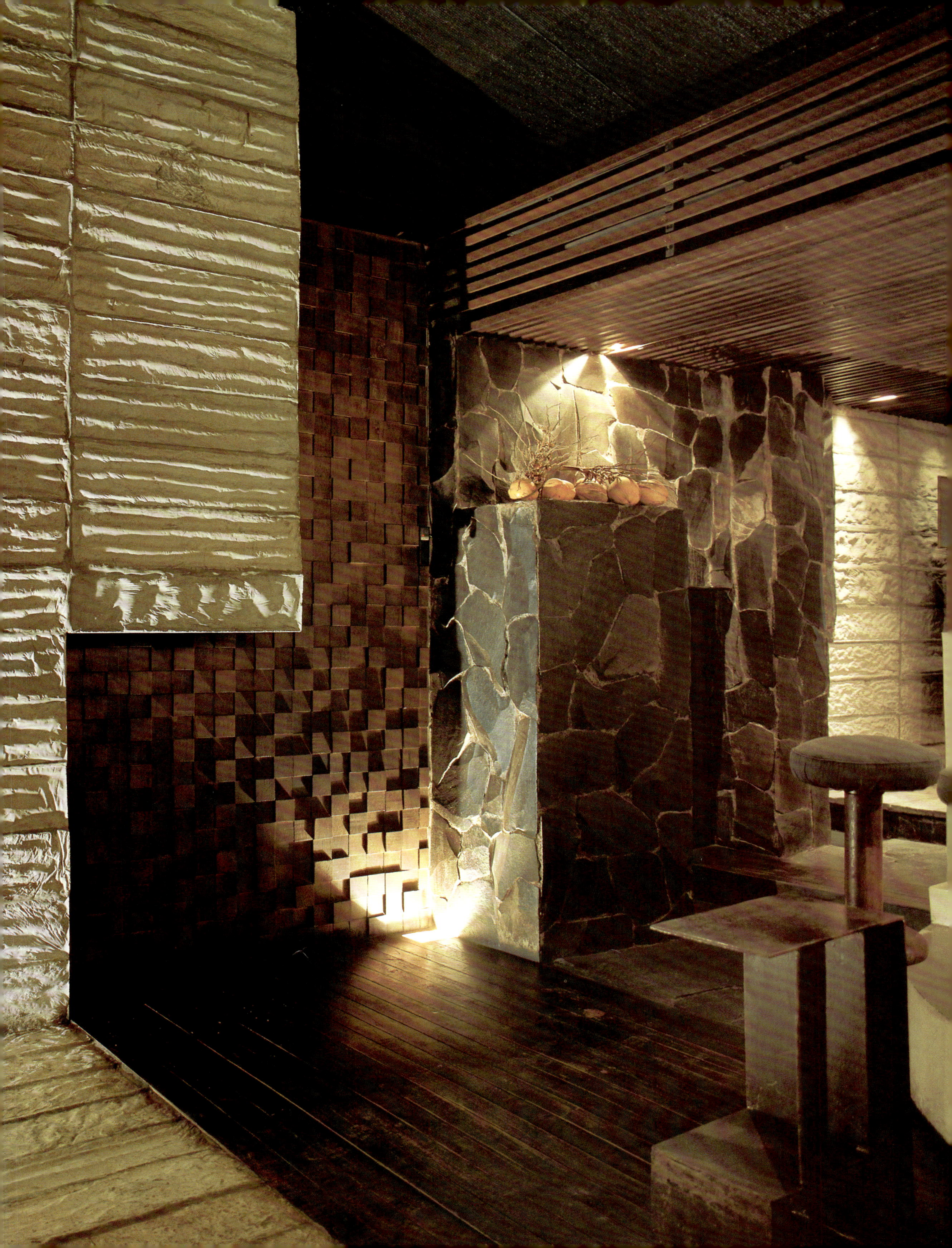

上：店内中央にある階段。両サイドが鏡になっており、歩くと不思議な感覚に陥る。

右：石の柱の向こう側も厨房の目隠しのために鏡張りになっている。反射の効果で神秘的な空間が出来上がった。

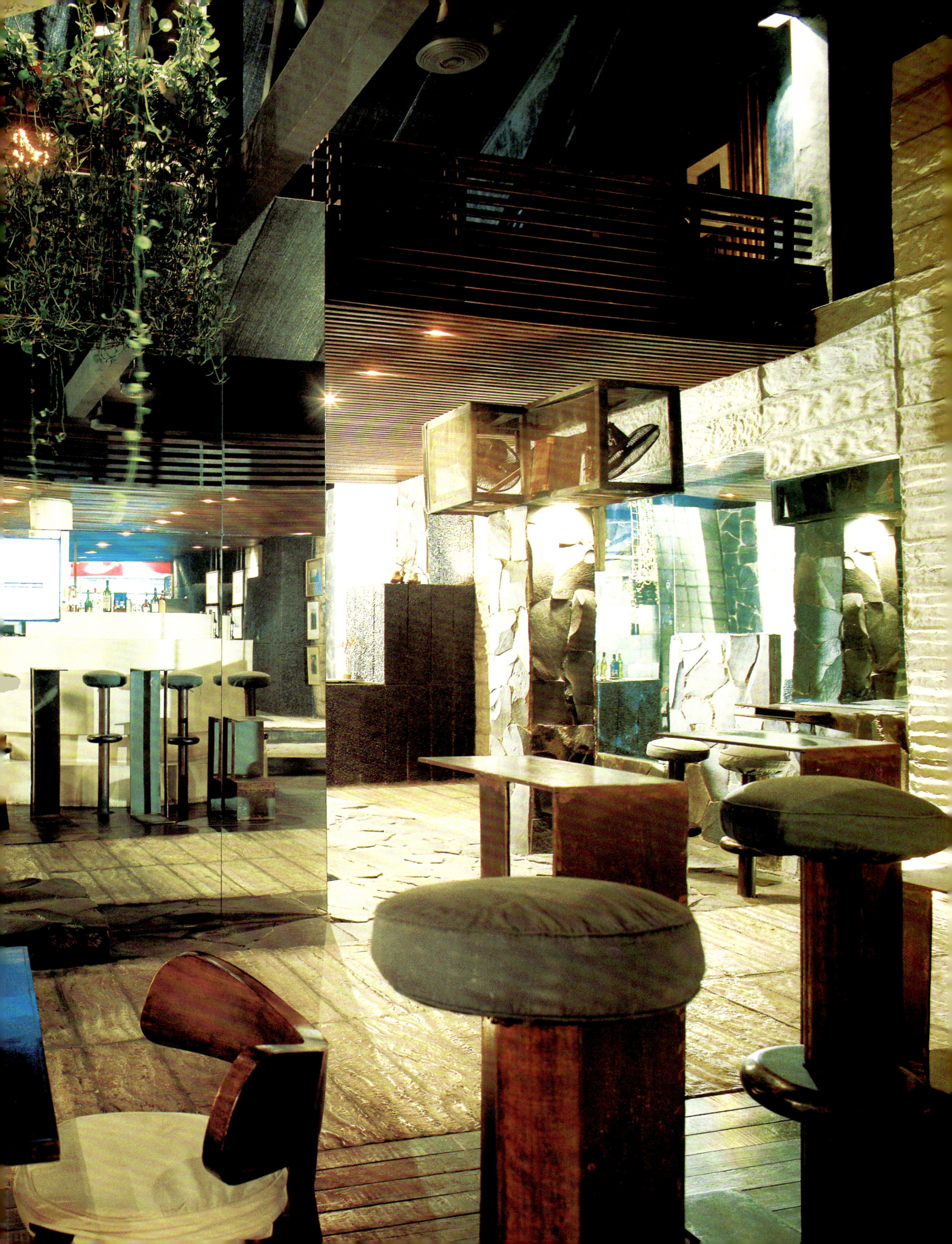

a cultural fusion of senses
カルチャーの発信基地

世界中の数多くの画家、彫刻家、デザイナーを魅了して止まないウブドはバリ・カルチャーの中心地で、絵画、石や木の彫刻、銀製品などのバリ・アートが未だに進化を続けている。ガヤ・ギャラリー「フュージョン・オブ・センス」がウブドのサヤンを設立の場所に選んだのもこのためだ。ここ数年、カルチャーやアートの牽引者となっているこのギャラリーは、若手の地元アーティストや外国人アーティストを育てており、国際交流の場にもなっている。才能豊かなふたりのイタリア人若手デザイナーが運営し、世界レベルのアートを発信し続けている。

地元産の木と石を使って建てられた二階建てのギャラリーは前衛的で、宇宙船のようにも見える（写真左）。パリマナン石と木で出来たタラップのようなものが、中央の出入り口を囲んでいる。二階を覆う屋根は伝統的なアラン・アランだ。二階はバーとレストランになっているが、四方がオープンなのでその眺めは素晴らしい。一階はすべてデザインや絵画の展示のためのスペースで、音楽や演劇なども楽しめるようになっている。

右ページ：黒い竹と木で作られたユニークなランプ。横にあるのはペンシル画と、パリマナン石をベースにしたアロマポット。

上：壁に掛けられたコットンの織物は、ジャワ島ソロで作られた伝統品だ。二台の竹製ランプ、パリマナン石の花瓶、コットンのクッションが良く映える。

その時
産むのは、
曲いてがっ
し、絶対男

上：開放的なリビングスペースは、オーナーであるふたりのイタリア人デザイナーのセンスが光るモダンな空間になっている。どっしりとした藤のソファは箱型で、クッションも似たような柄になっている。手前に敷かれたマットはボルネオ・アンティーク、壁に描かれた肖像画はフィリッポ・シャーシャ作。

左：バリ・カルチャーの影響を受けてデザインされたアロマポット。鉄とパリマナン石で出来ている。手前にあるのは、セラミックとココナッツの木で作られた香立て。

ギャラリーの裏手。観賞用の細長い池に木の橋がかかり、小さな庭へつながる。モダンな石の彫刻はカルツィア作。

ベッドルーム。ココナッツの木とチーク材を使った椅子や、集魚灯のランプがある。壁の絵はフィリッポ・シャーシャ作。

上：モダンでスマートなバスルームは、テクスチャーにこだわっている。白く滑らかなパリマナン石の壁に素朴な竹製の梯子が立て掛けられ、そこにはシルクの布が掛かっている。吊り下がった黒い花瓶のフォルムも珍しい。

左：木とパリマナン石で出来たキャンドルホルダー。

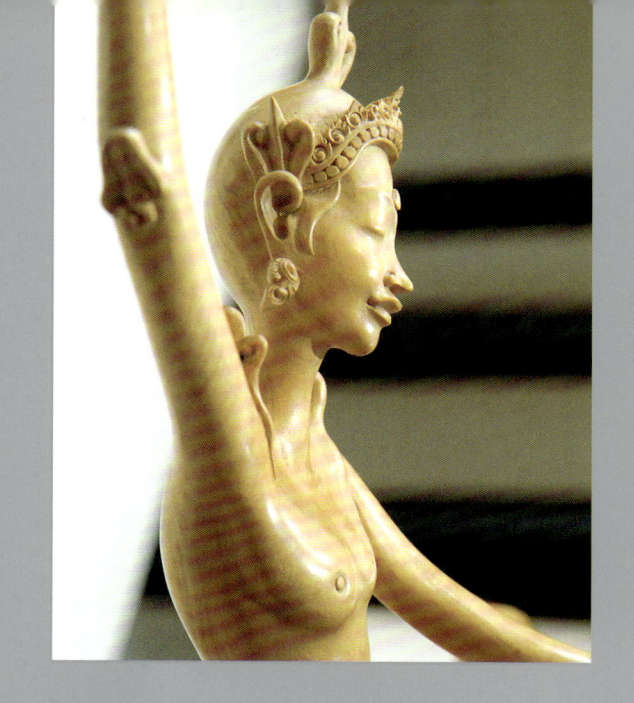

vibrant presentations
見せるための空間

カユ・カユ・ギャラリーは、バリ・アート愛好家のチ・スシラと建築家のジョヴァンニ・ダンブロシオのコラボレーションで生まれた。バリの現代アーティストたちの作品を展示するだけでなく、このギャラリー自体がひとつの展示物となるように建てられている。

ダンブロシオはチーク材の細い薄板を壁材に選び、幾何学模様を随所に取り入れた。これと対照的なのが床から天井まで伸びる黒く塗られた竹のポールで、バリらしさがよく表れている。バリの伝統彫刻や、インドネシア絵画を見せるのにもピッタリだ。ギャラリー全体はシャープでモダンながら、バリの木製芸術品などの柔らかさと優美なハーモニーを奏でている。

上、左：ギャラリーに展示されているバリの彫刻。

右ページ：訪れた人は皆、この玄関でバリ芸術の幻想の世界に引き込まれる。床には黄色と緑の石片を、壁には白い石を使っているが、これが木製アートのしなやかさを際立たせている。大きな彫刻はヒンドゥーの女神デウィ・ラティの像で、アイ・ケトゥット・ゲリディーがフランジパニの木の根のフォルムを生かして作った。壁にかかる神秘的な絵はバリの画家アイ・マデ・ジルナ作。

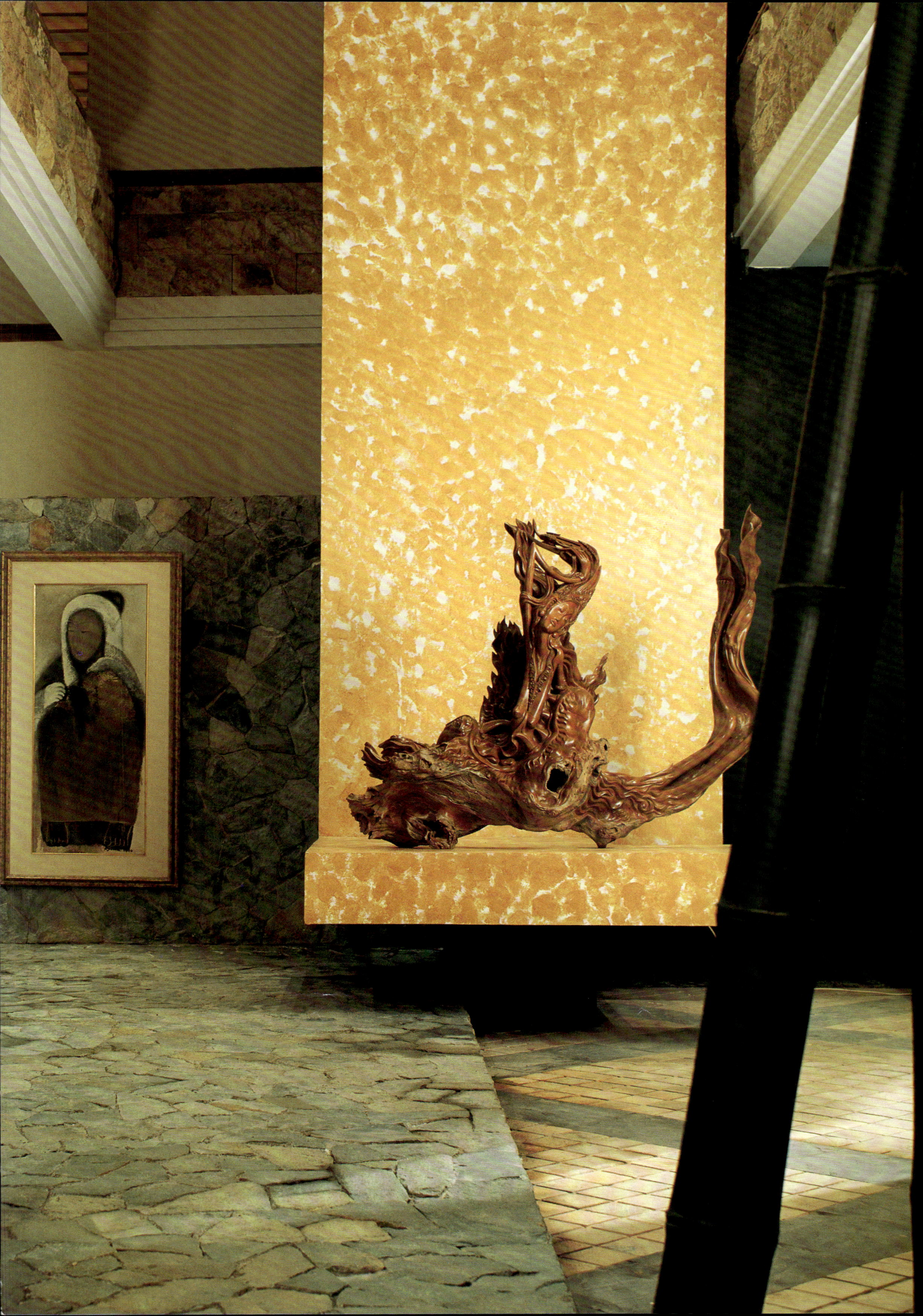

右：巧妙に配置された黒い竹のポールは、目立ちながらも展示されている作品と調和している。薄板を並べた壁に掛けられているのは三人の女性像（写真一部）で、ニョマン・スカリの作である（カランセム・ギャラリー、1968年）。左手にある秀逸なダンサー像はバリの彫刻家マング・ウェジャの作品。壁の展示スペースには、バリ産の木で彫られた小さな作品が並べられている。

下：色々な色、形、テクスチャーのコントラストが感覚に訴えかける——手前の壁の黄色い模様、後ろ手の薄板壁の優しい茶色、フローリングの緑の石、マットの麦わら色、石壁の白さなど——中央にあるのはバリのアーティスト、ワヤン・スブラタの彫刻作品で、手前にあるアーチ型の彫刻はマング・ウェジャのダンサー像。

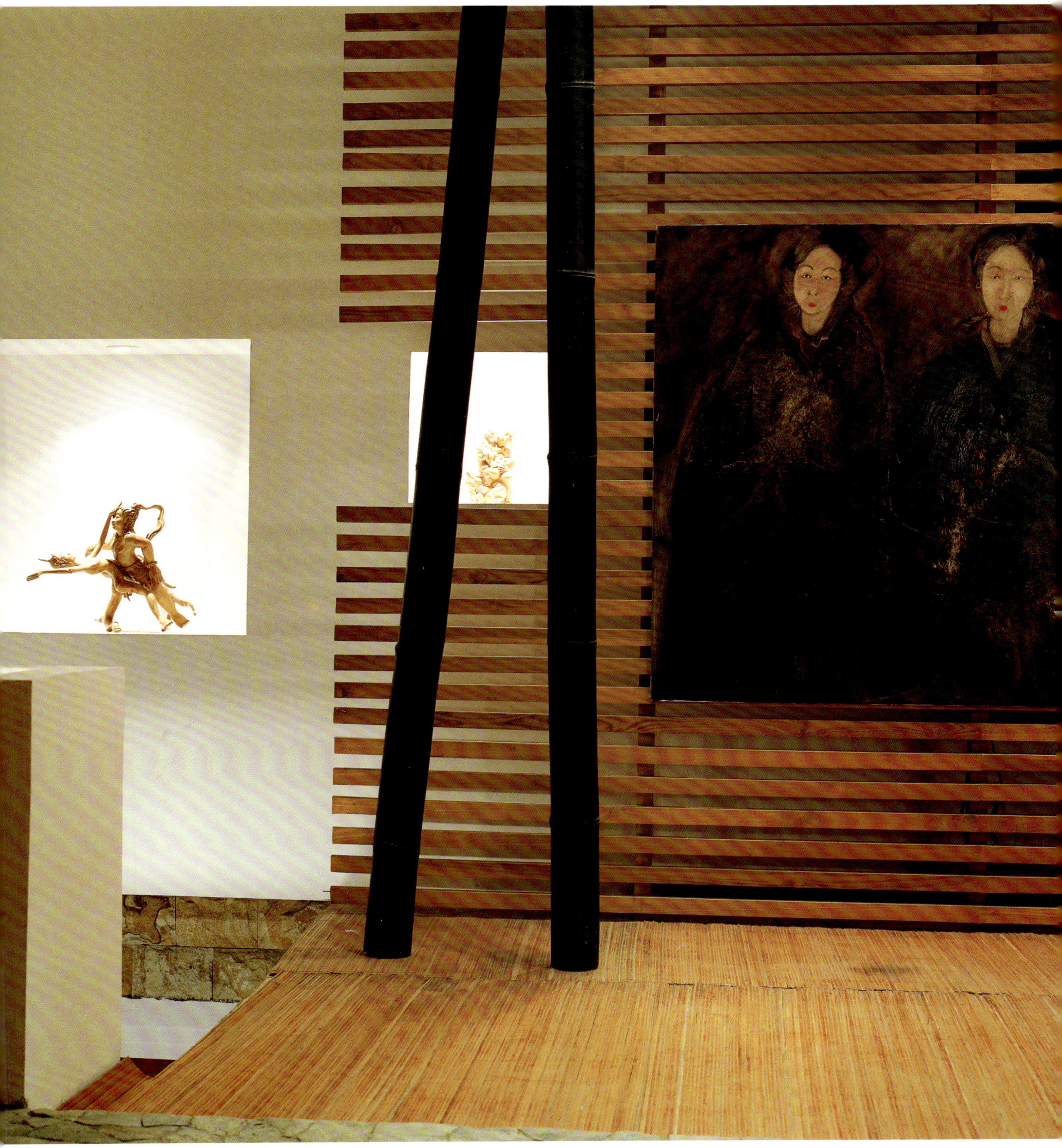

bali by design
デザインで見るバリ

「ガラスのピアノ」：セイキ・トリゲ作。薄板状のガラスと砂を吹いたガラスで鍵盤を表現し、石の台座に置いた。

外国人アーティストとバリのアーティストは互いに影響を与え合っているが、これは今に始まったことではない。バリの人々の豊かな創造性、豊富にある素晴らしい自然素材、そしてヒンドゥー教の魅力は、昔から外国人アーティストを惹きつけてきた。その結果、新しいアートが生まれただけでなく、お互いの作品がそれぞれから刺激を受けてきたのである。

　ここ数年はこうしたコラボレーションが、多大な利益を生んでいる。バリの穏やかな気候と、確かな技術が伴う安価な労働力、そしてふんだんな自然素材はアメリカ、カナダ、ヨーロッパ、オーストラリア、アジアの他地域からも人を引き寄せている。20世紀に生まれたコテージ業者と数多くのアーティストたちは、21世紀には複合的に活躍するようになった。大規模な工場や機械化された工程（手作りの工程も）やモダンな素材は、このニュー・ウェーブの特徴だ。海外からの影響は、この後ろからやって来ているに過ぎない。

　かつてないバリの建築ブームに乗って、あらゆる装飾品の需要が急増している。インテリアにはモダンなデコレーションが不可欠だ。この章では家具、ファブリック、キッチン用品、テーブルウェア、照明、ガーデニング用品などの最新動向を紹介する。彫刻や絵画といった芸術品も取り上げた。トロピカルなライフスタイルに興味のある人には是非見てほしい。どのアイテムにもバリらしさ、バリの伝統が息づいている。オリジナリティやクオリティが高められた結果、現在では輸出もさかんに行われており、バリのギャラリーや店にあるものが、海外の店でも見られるようになった。バリはトロピカル・デザインの代表となったのだ。

freehand

自由な創作

1. 古いチーク材を黒い足が支えたテーブル。奥にあるのは、マホガニーの一枚板で作られた椅子と、藁紙とメッシュで出来たスタンドランプ。
2. 「ホコラ」というユニークなテーブルランプ。ココナッツの木にガラスがあしらわれている。
3. 神の像を飾った置物。木製の古いすり鉢に黒い足をつけた。
4. ジャックフルーツの木で作られたふたつのスツール。
5. ナンカの木を使った二脚の椅子はどこかアフリカ的だ。スツールはジャティの木で作られている。

スミオ・スズキはアジア、アフリカ、アメリカなど様々な国で創作活動を行ってきたが、昔の日本に似ているという理由でバリのウブドに落ち着いた。どんな小さな作品にも目的を持って取り組むスズキだが、制作の試行錯誤の過程では作品の方向性を変えることもある。それは、彼のデザインを実際に組みたてていく職人の影響を受けるからだという。たとえば「私が引いたラインに沿って彼らがカーブを作ろうとしたのが失敗して直線になったとしても、それは別のアイデアに生まれ代わる」 スズキは、インドネシア産の大きな木のあらゆる部分を使って作品を作る。木の特性を理解しているからこそ、それぞれにピッタリのものを作り上げることができる。「私の作品には私自身はいない。その代わり、その作品は持ち主の生活に必ず溶け込んでくれる」 そこには「本物を作る」という哲学が生きているのだ。

163

shapes and textures

形とテクスチュア

1. ヤシの木で作った楕円の長皿。オレンジがよく映える。

2. モダンなコンポジション。ウォノサリ産の白い石壁に掛けられたのはスミオ・スズキのオブジェで、藁紙とネットで出来ている。椅子、飾り台、その上の花瓶は、ココナッツの木とハボウキガイでストライプ状になっている。左手の石のオブジェはココナッツの殻で白い模様がつけられている。

3. ココシェルで出来たストライプの角皿。黒いハボウキガイで縁取りされている。

4. ココナッツの殻でストライプ模様をつけたふたつの箱。

5. ココナッツの殻を使った飾り台の上に並ぶ、質感や仕上げが違うオブジェたち。ランプの台座はグリーンのまだら模様をつけたハボウキガイで、左手のボールはココナッツの殻でストライプになっている。

エティエンヌ・ディ・スーザは、何年か前の旅行がきっかけで、期せずしてバリに永住することになった。すでにベテラン・アーティストであった彼は、ココナッツの繊維、ヤシの木、真珠貝、貝殻など地元の自然素材だけを用いて、家具や調度品を作ることを試みた。これらの素材を生かすには、綿密な計画や時間をかけた工程が必要になるが、ディ・スーザはそのプロセスからも多くの制作のヒントを得た。このフランス人アーティストは、どんな作品を作る時でも時間――広い意味では忍耐――がもっとも重要で、そうしてこそ素材の本質が分かり、良い作品が出来るということを直感的に知っていた。その結果として真の芸術が生まれるというのが、彼の信念である。

3

4

5

circles and spirals

円と曲線

1. 「スパイラル」硬質材をノミで彫り、サンドペーパーで仕上げたシンプルながらもおもしろい作品。
2. 庭に置かれた硬質材のオブジェ群。手前にある巨大な貝殻のような「スパイク」、左手「リッジ（うねり）」、右手「ピラミッド」。
3. ふたつの「スパイク」天然木を貝殻の形に彫り上げた。
4. 「種」硬質材で作られ、飾り台の上にディスプレイされている。
5. 「ダブル・エロージョン（侵食）」硬質材で彫られた。
6. 「スペース」硬質材を巨大なホラガイのように彫り上げた。

オランダ人彫刻家のカローラ・フォージズの作品には、バリのトロピカルな自然への深い愛情があふれ、その魅力が存分に引き出されている。彼女は自然素材をただ単に加工するのでなく、大きさを誇張したり、新しい質感を引き出したりして、元の姿を思い出させないほどにモダンに変身させる。シンプルでナチュラルな自らの制作スタイルについて彼女はこう語る。「私の作品は、彫刻家のブランクーシやイサム・ノグチがルーツになっている」　数年前からは、スワー（きめが細かく明るい木材）やワル（硬質の木材）を使ったシリーズを展開している。すべての作品は、彼女が自分の手でバリ伝統の鉄ノミを持って彫り、サンドペーパーで磨き上げたものだ。こうして作られた作品は素朴な仕上がりだが、輝きと魅力に満ちている。

167

tribal contemporary

トロピカル・モダン

1. ジアーダは日常的で昔からあるような素材をアートに変身させる。写真は古いマイル標石をアレンジしたもの。
2. リサイクルのチーク材で作られた飾り台。上にある花瓶はジャワのパリマナン石製。壁に掛けられているのはイリアンジャヤのビーズ作品で、プロダス・トレンド製。
3. 「ビッグ・アンビル」（物を打つ台）。鉄樹で出来ている。トロピカルフルーツの花びらと種を混ぜて黒く彩色された。
4. ボルネオ製の仮面が、美しく仕上げされたアンティークのすり鉢の上に飾られている。チーク材のランプはアフリカン・スタイルだ。
5. 巨大な鉄樹のボール。ボルネオのダヤク族が作ったもの。
6. 60年代を彷彿させる飾り台は、硬木から手作りされた。アンビルに似た形の椅子はアフリカ調。エスニック・ミニマリズムが感じられる。

ミラノ人デザイナーのジアーダ・バルビエリは、トロピカル・ウッドが持つ秘めた力や、それらを使った伝統工芸品から創作のイメージを膨らませている。抽象芸術の本流がそうであり、また彼女自身がその本質を究めた結果、バルビエリは素材に過度の手を加えることを止めた。エスニックな力強さや、洗練されたモダンな形とボリュームで、彼女の作品はアフリカやボルネオのエスニック・アートと、ルーマニア人彫刻家コンスタンティン・ブランクーシのスタイルとを折衷したような、理論的には達成しないスタイルになった。バルビエリはこのクラシックとモダンを兼ね備えた独自の世界を、ジャワやボルネオの職人芸を借りながら築き上げたのだ。

3

4

5

6

169

the beauty of glass
ガラスの美しさ

1. ココナッツの花のつぼみが飾られているのは「ジャイアント・スシ・プレート」。波紋のような模様がついた手作りのガラス・プレートだ。
2. リサイクル・ガラスで出来たドラマチックな作品「花器」。赤、青、白で描かれたバリ・アーティストの抽象画をバックにした黒い飾り台の上で。
3. 5. 透明ガラスと砂吹きガラスで作られた手作りの花器。背の高いヘリコニアにピッタリだ。
4. 「ボート」。リサイクル・ガラスをノミで彫刻。不思議な形のこの作品にはピッタリの作品名だ。
6. ウブド郊外ベガワン・ギリ地区のビジ・レストランにある、薄板ガラスを用いたバーカウンター。

ガラスに魅せられた工芸家のセイキ・トリゲは、ガラスを溶かし、吹き、彫って作品にするという工程のすべてにリサイクル・ガラスを使っている。ガラスに木や鉄を混ぜて溶かすという方法も良く使う。見る人を虜にする彼の作品は、花瓶から装飾的なテーブルウェアに至るまでたくさんある。最近行われたバリでの初めての個展で、トリゲは自分の作品についてこう語った。「私はこれまで信じられないような失敗をたくさんしてきた。失敗すると今までの努力が水の泡になるからショックが大きいが、そこからでも成功に導けた時には喜びも大きい。ここに展示されているすべての作品は、今までの制作の全成果だ。見てもらうと、私の失敗と成功の両方を感じ取ってもらえるだろう」

3

4

5

6

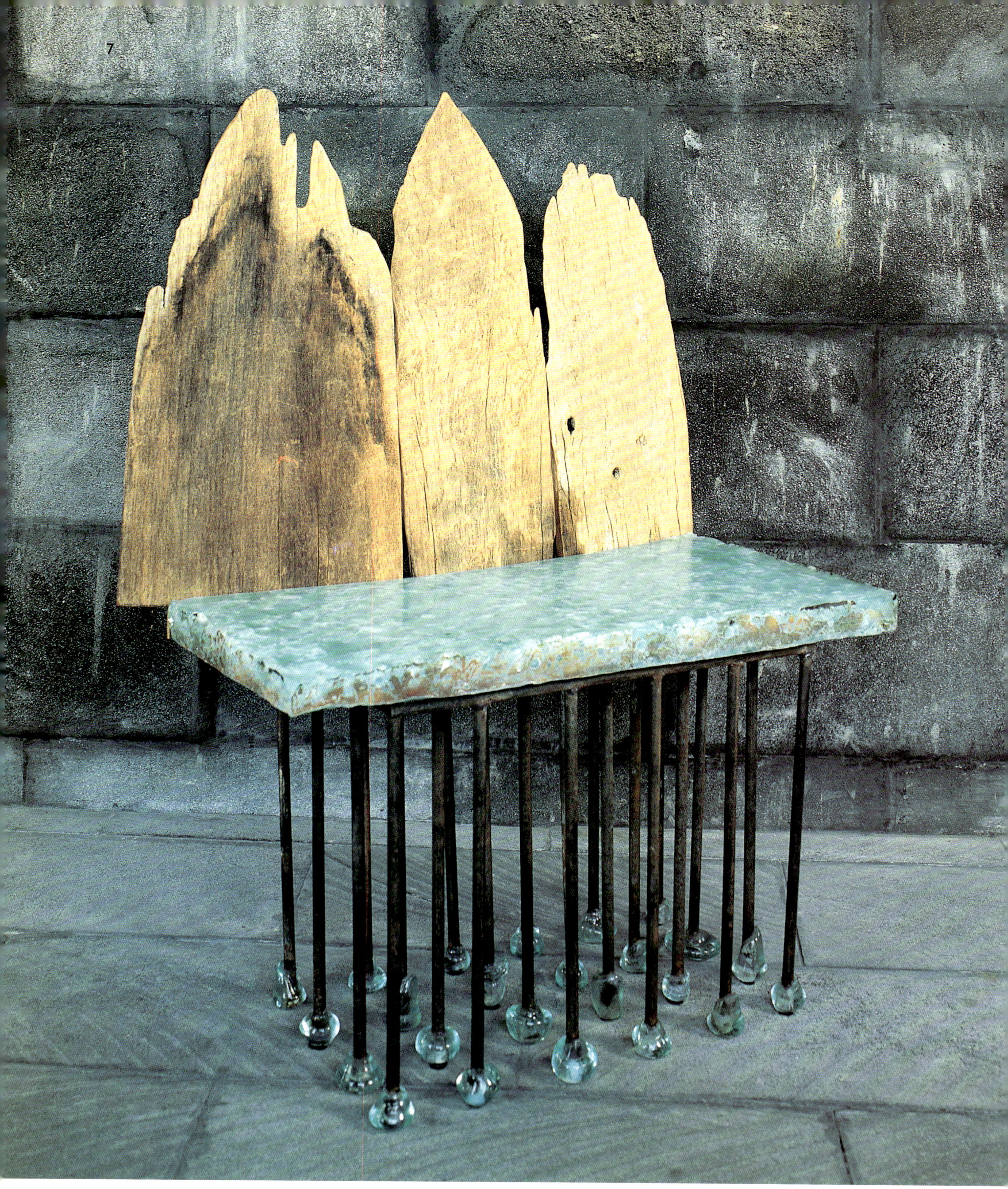
7

7.「ロンバルディ・チェア」。チーク材の厚板、リサイクル・ガラス、金属をミックスさせた他に類を見ない作品。

8.「ミルク」。スパンコールをはめ込んだガラスアート。手前にある皿は「象の足」。リサイクル・ガラスで出来ている。

9. スミニャックにある日本レストラン「Wasabi」の「魚のロゴ」。リサイクル・ガラス製。鮨と日本酒用の器は特注だ。

metalwork
メタリック

1. ステンレスと革を使ったスツール。足はケリスという儀式用の短剣の形で、スツール全体はバタク様式を模している。鏡は対照的にトラディショナルなスタイル。

2. バリ産の石をステンレスの足が支えるこのローテーブルは、中東の文字がモチーフになっている。同じくステンレスと石のテーブルランプは、二重らせんのイメージで、水玉のランプシェードにはポリウレタン製。

3. 石の台座にステンレスの足、タイ・シルクのシェードをつけた、ミニ・テーブルランプ。

4. スタイリッシュなテーブルと椅子。ステンレス、石、革で出来ている。

5. 大きな取っ手のついた扉には雲を象った模様がつけられている。中国の香りがするが、ジャワでも良く見られる様式だ。

インドネシア人彫刻家のピントール・シレートには、金属を使った作品が多い。戸外のモニュメント、壁の彫刻、らせん階段、テーブルランプなど色々あるが、すべて実用性と美しさを兼ね備えている。現在バリに住んでいるシレートは、この地に伝わる神話やそれと人間との関係などにインスピレーションを得ており、いつも全力で制作に取り組んでいる。最近の作品では、インドネシアのバタク様式とモダンデザインを巧みに融合させた。こうして生まれた作品は、現代のライフスタイルを取り入れながらも、バリ独特の香りがあって素晴らしい。

3

4

5

flower mélange

花のモチーフ

1. 象牙色のコットンのピローケース。ブルーの葉がモチーフになっている。上に載っているのは青のオーガンジー。
2. シルクに手で花模様が絵付けされた美しいテーブルクロス。
3. ラオス風の刺繍がほどこされたカラフルなシルクのクッション。赤いカーテンはポリエステルとナイロン製。
4. 象牙色のコットンで出来たクッションカバー。手で刺繍された花模様が美しい。
5. シルクのクッションカバーに直接彩色されている。
6. シルクのクッションカバー。花模様はビーズで刺繍されている。

フランス人ファブリック・デザイナーのドミニク・セガンは、カンボジアのメコン川近くで育った。成人してパリをはじめとするヨーロッパのブティックで働いた後、トロピカルな国に戻ることにしたのだが、その際に選んだのがバリ島だった。

バリでは地元職人の素晴らしい伝統技を得て、独自スタイルのファブリックや家具を作り上げた。ブティックでのキャリアが、素材を見る力と色の妙を見分けるセンスに生きている。そのため、彼女の作品の素材は、オーガンジー、麻、シルクなど多彩だ。バリの豊かな自然が創造の源なので、植物をモチーフにした作品も多い。繊細ながらもヴィヴィッドな色使いの木の葉、花などのデザインは、専門の職人が刺繍や絵付けを担当している。

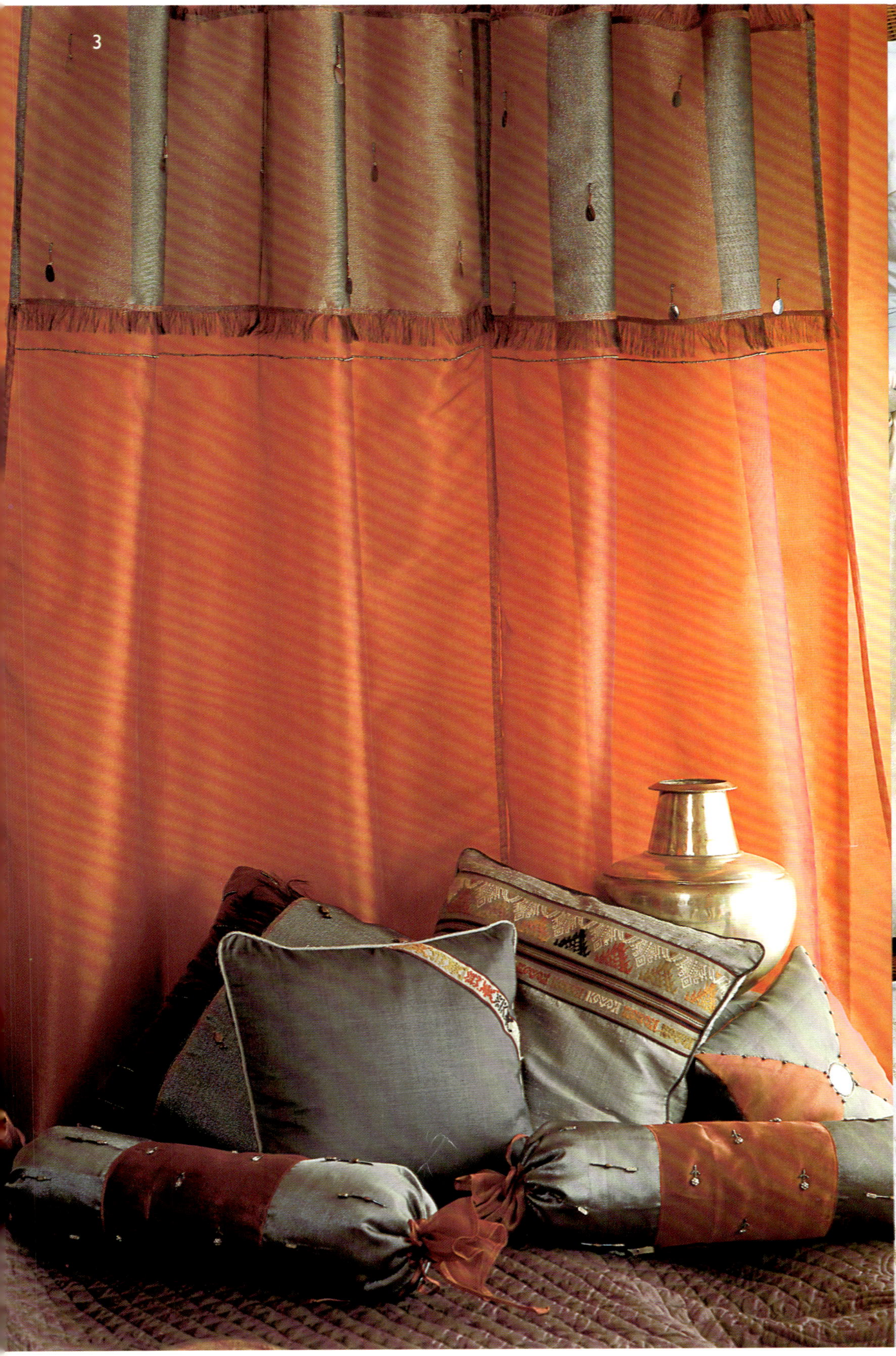
3

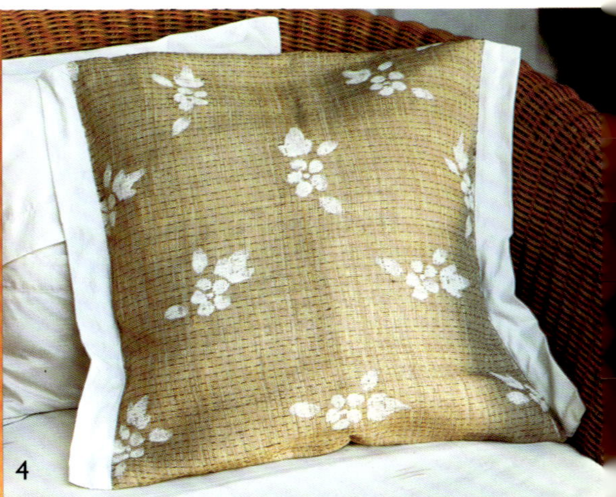
4

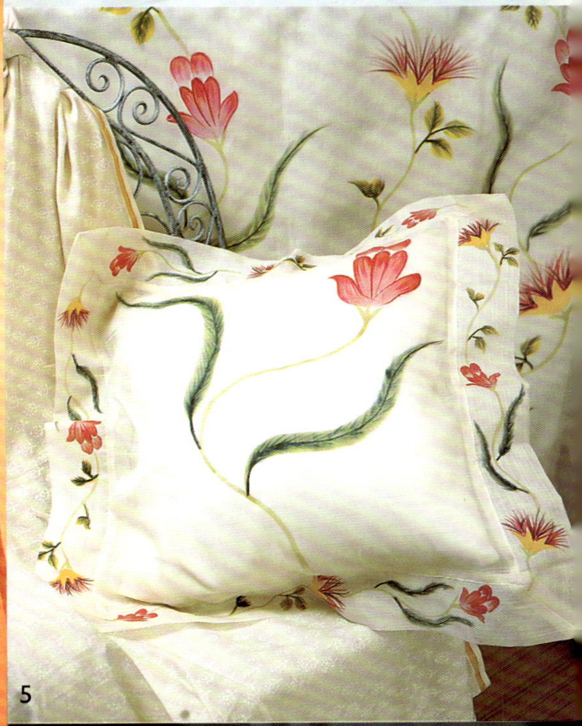
5

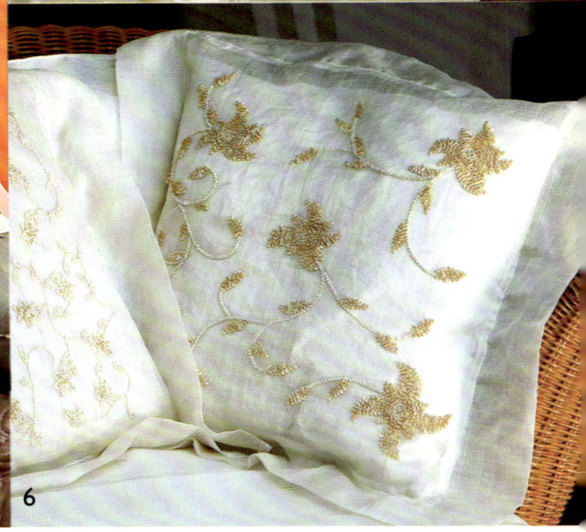
6

crafted precision
細部へのこだわり

1. この小さい容器は、ココナッツ、シルバー、半貴石で巧妙に作られている。道化師のように見えることから、遊び心たっぷりに「ジョーカー」という名前がつけられた。
2. チーク材の机。キャビネットには蝶つがいとキャスターがついており、取り外しが可能。
3. 斬新なデザインのリラックス・チェア。チーク材、チーク合板、銅、布を使っている。
4. 小型のキャビネット。チーク合板で出来ており、パリマナン石の台座に載っている。
5. メルバウの木と黒い石のダイニングのサイドボード。中央の振り子時計はアールデコ調で、本体はチーク材、文字盤はシルバーで、サンゴをちりばめてある。

1992年、ジュゼッペ・ヴェルダッチはバリで家具のデザインや制作をはじめた。量感に気を配り、家具にメッセージを持たせることを重視している。彼は建築設計士としても有名だが、「建築学」的な考えを固辞しており、実践的な方法でデザインと制作を行っている。それゆえ彼にとっては、表面の相互作用、ラインの具合、パーツの組み合わせ方、素材の重さなどあらゆるものが、創作の重要なポイントになっている。

3

4

5

6

7

8

6. 手前は塩・コショウ入れで、貝殻、シルバー、コクタンの木で出来ている。奥にあるオイル・ビネガー入れは、リサイクル・ガラスとシルバーを使っていて、チーク材の台座に載せられている。

7. コクタンの木、真珠貝、シルバー、サンゴから作られた、エレガントなカトラリー。

8. 象牙色の砂岩とチーク材で出来た、屋外用のソファーベッド。

9. 黒い石の台座を持つこのチーク材のバスルーム用キャビネットは、小さなボトルのコレクションを見せるのにピッタリだ。

10. 象牙色のパリマナン石を台座にするこのキャビネットは、バスルームの小物を整理するのに最適だ。

trendy tropical
トレンディー・トロピカル

1. 白い骨材を組み合わせたプレート。
2. 「マンゴ・ライン」。チーク材を黒褐色に塗った飾り台は、白い骨材がアクセントになっている。その上にも骨材を使った花瓶と、木と骨材を使ったフルーツ皿が置かれている。壁掛けパネルは木製。
3. 「ジャングル」。竹と赤黒の樹脂でから作られた模様を黒木で縁取ったトレイ。
4. 白い骨材を磨いて作ったトレイ。
5. 「アステック」。竹と黒い樹脂で模様づけしたトレイ。
6. テーブルランプ。白い骨材の台座の上に黒い木、その上に球体を積み上げた。
7. 「キューブ」。白い骨材と黒いハボウキガイで格子模様にしたテーブルランプ。
8. 長方形のテーブル・ディスプレイ。竹と黒い樹脂で作られた鮨用トレイの上に、白い骨材で出来た果物が載せられている。

イタリア人のロベルト・テナスとフランス人建築家メリエム・ホールによるブランド、「プロダス・トレンド」は、インテリアのデザインやその素材の使い方について実験的な試みを続けている。木、動物の骨、貝殻などの自然素材に、ファブリックや樹脂、金属などを合わせた作品などはとてもユニークだ。テナスは色々な手法を生み出すことを楽しみ、作品には、イタリアのセンスが感じられる。一方のホールは、パリとバリの伝統をミックスさせるのがこだわりだ。こうして作り上げるふたりの作品はどれも斬新で、まさにトレンディーである。

183

radiant lights
柔らかな光

1. 「ヨーヨ」。四角いシンプルなテーブルランプ。中ほどの線状ガラスはアクセントになっているだけでなく、上からの光を反射させるという役割がある。
2. 「ラーヨ」。ハロゲンライトの大型スタンドランプ。すっきりとしたラインはアールデコ調。
3. 「ディアゴ」。木製の小さなランプのそれぞれは、ひとつずつでも使える。ふたつの木材を同時にカット、接合して作られた。
4. 「ピラミッド」。白と緑の円錐状のガラスを通して光が放たれている。
5. 様々な形、大きさのテーブルランプ「シークエンス」コレクション。木の骨組みに線状のガラスが組み合わせている。リーはこの三作品を「アジアン・モダン」と名づけた。

マルコ・リーは1998年からバリに住んでいるが、それより前から木に注目していた。独学で家具製作を学び、やがてアンティーク家具の修理業を営むようになる。後には自分でデザインした一点物の木製家具を作り始め、ついには照明デザイナーに転向した。現在では「ラジアント（「明るい」の英語）」という会社を経営しており、デザインと制作のほとんどすべてを自分で行っている。バリ産のメルバウ、鉄樹といった可塑性や弾力性のある木にガラスを組み合わせたクラシカルな照明器具などは素晴らしい出来栄えだ。モダンアートやアールデコに影響を受けたマルコ・リーの照明は、どれも機能性がありながら繊細で美しい。

3

4

5

delighting ideas
光るアイデア

1. トロピカルな木々をバックにしたテーブルランプ「カリマンタン」。ピラミッド型の土台はボルネオ産の籐で出来ており、全体としてレトロ調にまとまっている。

2. スタンドランプ「ナチュラル・エレメント」。石の台座の上に少し手を加えただけの竹がココナッツ製の紐で結ばれている。ランプシェードは明るい色の薄いシルク。

3. テーブルランプ「ミラージュ」。方形の黒い木の台座上に棒状のアルミが並べられ、光が反射されている。

4. テーブルランプ「アリババ」。アルミニウムの台座に彫られているのは水滴のモチーフ。

5. 木製のスタンドランプ、テーブルランプのコレクション「スクレ」。台座はココナッツの木で黒と白のウォッシュ仕上げ。ランプシェードはカンピルという米を包む素材で出来ている。

6. テーブルランプ「アルツ」。真鍮の台座上にあるアルミニウムの網から光が漏れる。

イギリス生まれのスー・キルミスターは大学では法律を学んだが、現在ではアートとデザインの仕事をしている。90年代には照明デザイン、風水デザイン、ポストモダン・チャイニーズ・デザインなどを学びながら、イタリアやアメリカで創作活動を行ってきた。後にカルロ・フォルツィネッティと知り合い、一緒に会社を立ち上げることになる。フォルツィネッティはバリのトラディショナル・デザインや、現地の素材、バリのデザインなどに魅せられている。バリに拠点を置き、腕の良い職人の力も借りながら、彼女たちの会社は、様々な素材で様々な照明を作り出している。どの作品も依頼主のバックグランドに合った素晴らしい出来栄えだ。

3

4

5

6

187

1. パイナップル繊維のシェードに光沢のある黒いセラミックの台座を持つテーブルランプ。
2. 対になったテーブルランプ。左手のランプの台座は白く卵のような形をしており、貝のモチーフがプリントされている。シェードは黒白ストライプのプリッセ（化学的処理をした生地）。右手の小さいランプの台座は石で、下の白い部分は砂吹き、上の黒い部分は光沢のあるまだら模様という二層構造になっている。シェードはシルク製。
3. 多彩なカラーのセラミックを台座にした、テーブルランプのシリーズ。シェードはシルクで、全体的に美しい。
4. テーブルランプ。セラミックの台座はスンバ島の伝統芸術からヒントを得た。シェードはシルク製。
5. セラミック台座のテーブルランプ。シェードになっているコットンは光沢や質感がそれぞれ違う。

キルミスターとフォルツィネッティは、バリの大手セラミック・メーカーであるジェンガラ・ケラミック社と共同で、ランプのシリーズを展開している。ゲンガラ社はセラミックのテーブルウェアなどの製造に20年の歴史があるが、今では品質の高いハンドメイドの製品に定評がある。ジェンガラ社の持つ専門技術、天然素材、形やつやなど仕上げの豊富さに影響を受けて、ふたりのデザイナーはこのページにあるようなユニークな作品をいくつも作り上げている。

3

4

5

189

ethnic modernity

エスニック・モダン

1. スタンディングランプ「禅」。レストランやホテルのロビーなど広いスペースに合うようにデザインされた。シルクの円柱がふたつ重ねられ、両方から光が放たれる。
2. エスニック・モダンの典型ともいえるスタンドランプ。シンプルな竹梯子のベースに、長方形の布が二枚掲げられて、ランプシェードになっている。
3. テーブルランプ「ラム」。漆塗りの木枠に落ち葉を飾ったベースに、コットンのランプシェードをつけている。
4. ダークブラウンの木枠に布をはめ込んだこのランプは、壁掛けランプとしても、テーブルランプとしても使える。

エスニックな素材をモダンな形にアレンジし、それを生かすテクニックで作品を作る――「ピメント・ルージュ社」のクレール・ギーヨとケン・ヴィゴニは、そうしてテーブルランプ、スタンドランプ、壁掛け照明、吊り照明、シャンデリアなど様々な照明を生み出してきた――貝殻やアジア的な模様などで飾ったり、ココナッツの殻や竹といったオーガニック素材を組み合わせたりすることでメインとなる素材の形や形状を生かしている。深い赤色でラッカー仕上げした作品は、落ち着いてモダンだ。どれも芸術品といって良いほどの出来栄えだ。

2

3

4

Acknowledgements

Credits

p32 チーク材のコロニアルスタイルのテーブル：ワリサン作；白いセラミックのディナーセット：パランクイン社製；リサイクル・ガラスのグラス：セイキ・トリゲ作

p36-37 白黒の絵二枚：ジム・エリオット作；肖像画：フィリッポ・シャーシャ作；赤い座布団と三つのクッション：グロット社製；青い花瓶：セイキ・トリゲ作；黒い飾り台：エソック・ルサ作；コーヒーテーブル：ディーン・ケンプニッチ作；木とガラスのテーブルランプ：マルコ・リー作；ソファのカバー、ファブリック、畳、クッション：マルティナ・アーバス作

p39 ダイニングテーブルと飾り台：ディーン・ケンプニッチ作；壁の黒い絵：マデ・ベンデーサ作；椅子：エソック・ルサ作

p42 中国式のチェストとコロニアル・スタイルのコーヒーテーブル：ワリサン作；パキスタン・アンティークのカーペット：ドミニク・セガン作；方形のテーブルランプ：パランクイン社製

p44 ダイニングテーブル：ディーン・ケンプニッチ作；椅子：エソック・ルサ作

p45 インド綿の手染めのクッションカバーとベッドカバー、パキスタン・アンティークのキャメルバッグ、キリムのじゅうたん：ドミニク・セガン作

p47 シルクのシェードがついたスタンドランプ「ジャイアント・フリップ・フリップ」：ディライティング社製；クッションカバーとマット：クアルツィア社／ガヤ・デザイン

p49 モダンアート：フィリッポ・シャーシャ作；テーブルランプ「バンブーT」：ディライティング社／ジェンガラ・ケミカル社；木製のコーヒーテーブル「マンゴ・ライン」：メリエム・ホール作、プロダス・トレンド製；グレーの石彫刻：オランダ人彫刻家ラインコ作；ファブリック、クッション類：クアルツィア社／ガヤ・デザイン；コーヒーテーブル上の白い花瓶：ガヤ・セラミック社製；テラコッタのブックエンド：プロダス・トレンド製

p50 二枚の絵画：フィリッポ・シャーシャ作；黒い木製の飾り台「マンゴ・ライン」とステンレス足の椅子：メリエム・ホール作、プロダス・トレンド製；ふたつの石彫刻：ラインコ作；黒い竹製ランプ：ガヤ・デザイン作

p111 シルク製の赤とグリーンカーテン、ソファのカバー、テーブルランプのシェード：ドミニク・セガン作

p126 椅子：ジョヴァンニ・ダンブロシオ作；飾り台（左手）：メリエム・ホール作、プロダス・トレンド製；竹とシルクのランプと黒塗りの木とシルクのスタンドランプ「クワドリポッド」：ディライティング社製

p127 上：竹とシルクのスタンドランプ「フィフス・エレメント」：ディライティング社製；下：ソファとコーヒーテーブル：プロダス・トレンド製；黒塗りの木とシルクのスタンドランプ：ディライティング社製

p135 グリーンのハボウキガイを使ったテーブルランプ：エティエンヌ・ディ・スーザ作；白いココヤシの実と暗い色のハボウキガイで出来たオブジェ「小石」とアームチェア：エティエンヌ・ディ・スーザ作

p138 黒と白のココナッツの木を台座にしたテーブルランプとスタンドランプ「スクレ」コレクション：ディライティング社製；ココナッツの木で出来たシックな椅子：カスミル・コスモス社製；「π」の形をしたオブジェとテーブルトップ：エティエンヌ・ディ・スーザ作

p150-155 「フュージョン・オブ・センス」内の家具や調度品：すべてガヤ・デザイン製；絵画：すべてフィリッポ・シャーシャ作

p192 金属と黒いセラミックで出来たディナーセット：マリレラ・ヴラターキ作

Note from the Author

邸宅内の写真撮影を許可してくださったすべての方々と、この本に出てくるすべてのアーティストにお礼を申し上げます。

マギー・グリーンホーンにはテキストの執筆にご協力いただき、ありがとうございました。

キム・イングリスには貴重なアドバイスをいただき、感謝しております。

ジョスリン・ラウにはレイアウトなどの編集面で根気強く対応していただき、ありがとうございました。

そして最後に、いつも楽しく仕事をさせてくれた良き友人でもあるルカに感謝します。